Canadian Guide to Uniform Legal Citation
9th Edition

Manuel canadien de la référence juridique
9e édition

THOMSON REUTERS®

A cataloguing record for this publication is available from Library and Archives Canada.
Printed in the United States by Thomson Reuters.

ISBN 978-0-7798-8581-7 (bound) – 978-0-7798-8582-4 (pbk)

TELL US HOW WE'RE DOING

Scan the QR code to the right with your smartphone to send your comments regarding our products and services.
Free QR Code Readers are available from your mobile device app store.
You can also email us at feedback.legaltaxcanada@tr.com

THOMSON REUTERS

THOMSON REUTERS CANADA, A DIVISION OF THOMSON REUTERS CANADA LIMITED

One Corporate Plaza
2075 Kennedy Road
Toronto, Ontario
M1T 3V4

Customer Support
1-416-609-3800 (Toronto & International)
1-800-387-5164 (Toll Free Canada & U.S.)
Fax 1-416-298-5082 (Toronto)
Fax 1-877-750-9041 (Toll Free Canada Only)
Email CustomerSupport.LegalTaxCanada@TR.com

Nicolas Labbé-Corbin

Citations editor / Rédacteur du Manuel de référence

Me Daniel Boyer

Member of the Faculty Advisory Council / Membre du Conseil de la faculté

Acknowledgements / Remerciements

Jakub Adamski

Laura Alford

Nigah Awj

Ian Binnie

Lori Boyer

Laura Buckingham

Connie Budaci

Laura Cárdenas

Cathy Costa-Faria

Sophie Doyle

Éléna Sophie Drouin

Bonnie Fish

Michel Fraysse

Mark Gannage

Patrick Garon-Sayegh

Raphaël Grenier-Benoit

George Gretton

Patrick Healy

Maegan Hough

A. Max Jarvie

Barhilla Jesse-Buadoo

Nicholas Kasirer

Amy Kaufman

Rob Kligman

Robert Leckey

Nicole Léger

Neva Lyn-Kew

Jonathan Mooney

Elizabeth Moore

Yves-Marie Morissette

Donal Nolan

Emma Noradounkian

Adrian Pel

Lana Rackovic

Giorgio Resta

Sadri Saieb

Svetlana Samochkine

Kerry Sloan

Angela Swan

Lukas Heckendorn Urscheler

Ivo Vogel

Elizabeth Wells

Lisa-Marie Williams

Victoria Woo

SUMMARY TABLE OF CONTENTS / TABLE DES MATIÈRES ABRÉGÉE

A Word from the Editor

For more than thirty years, the McGill Law Journal has contributed to the development of legal citation through its *Guide*. We have always presented our work as a pan-Canadian landmark on the subject. In the English version of the title, the term "uniform" generates many debates and it does not constitute a disregard on our part. We have created a work that reflects Canadian reality as no other legal reference manual has done. We are constantly fighting to preserve its bilingualism, and with each edition we strive to establish standards that take into account the particularities of different cultures and the different types of legal sources in Canada.

The two main objectives that have guided us in the preparation of this ninth edition are conciseness and accessibility. While these two characteristics usually go hand in hand, at times, we had to make difficult decisions in order to reconcile them. In the name of accessibility, we kept many details that brevity commanded us to reduce. It was monastic work to determine the elements to be retained and withdrawn, but each of the decisions we made was studied at length and debated with experts. Notably, we agreed to eliminate several tables of examples and to delete bulleted lists. A legal reference manual should not resemble a scientific protocol, but rather should contain general and coherent rules and principles so that all sources, however unique, can be cited.

If civil and common law sources have always been represented in a balanced way in our *Guide*, Indigenous law sources have generally been neglected. In this edition, we have included rules for referencing Indigenous constitutional documents and intergovernmental documents (treaties and land claim agreements), not counting the new examples of Indigenous law disseminated in the existing sections. However, in preparation for the upcoming edition, we plan to conduct extensive consultations with practitioners and scholars in this area in order to broaden the scope of Indigenous sources covered by this *Guide*.

In editing this work, we have dedicated a large effort toward making the citation rules accessible with regard to electronic sources. The *Guide* is published on a quadrennial basis; therefore, it is essential that each edition consistently updates online references. While electronic documents are often ephemeral and informal, they are nonetheless very accessible and increasingly used by Canadian jurists. There are now many Internet link archiving systems, which address both the problem of broken links and endless addresses. Like the *Bluebook*, the *Guide* now encourages reference to permanent links whenever a website needs to be identified.

Our reconfiguration of the hierarchy of jurisprudential sources also gives online databases greater status. It is pointless to deny that a large number of users of the *Guide* do not use printed versions of jurisprudential sources; they consult decisions on CanLII, LexisNexis or Westlaw, and then choose the printed collections from those listed on these electronic services to include in their reference. Under this ninth edition, versions found on online databases have the same status as any unofficial collection. Indeed, it would have been absurd to discourage the use of a service like CanLII, which is all at once free, reliable and accessible.

Thanks to the many orchestrated changes in this edition, we are confident that the *Guide* will continue to be at the forefront of legal reference. In December 2017, the Quebec Society for Legal Information (SOQUIJ) set up an electronic citation help tool that automatically records legal references in accordance with the Guide's standards. In April 2018, Hein Online also introduced a system that provides legal references according to the standards of the *Guide* for all documents in its database. These are two examples that demonstrate the scope of the *Guide* and its presence in the world of online legal research.

When we initiated this ninth edition, we had a plethora of ambitious projects in mind and established long lists of improvements to be made. The support of many experts has been instrumental in advancing these many projects. We have therefore included for the first time a list of acknowledgments to account for the invaluable contribution of each expert who made this edition possible. The contribution of the Citations Editor, 2018-2019, Barhilla Jesse-Buadoo, who finalized this work, should also be highlighted.

It is unthinkable to achieve perfection in an undertaking that is constantly evolving and that is why other editions will follow. The key is to be able to keep up to date on a regular basis and improve some sections in each edition. We have a great need for the opinions of members of the legal community and their support to perfect our *Guide*. Therefore, please send us your comments and suggestions to the following address:

McGill Law Review
3644 Peel Street
Montreal, Quebec H3A 1W9
Canada

Tel: 514-398-7397
Fax: 514-398-7360
http://lawjournal.mcgill.ca
journal.law@mcgill.ca

Nicolas Labbé-Corbin
Editor of the Reference Manual, 2017-2018

Foreword by the Honourable Ian Binnie

This ninth edition of the *Canadian Guide to Uniform Legal Citation* is a welcome update to a very serious and practical work. Lawyers and judges are always seeking legitimacy for their views from prior authorities. While this observation is self evidently true for the common law, the judgments of the Quebec courts are replete with citations of cases decided under the *Civil Code* or other statute. Reliance on precedents and authorities puts a high premium on accurate citation. Readers cannot be expected to verify what they cannot quickly and efficiently locate.

Amassing wide-ranging and meticulous research embracing Canada's multi-juridical and bilingual traditions was (and continues to be) a monumental undertaking. The topic is deceptively straightforward for beneath the surface the ground sometimes shifts. There are numerous examples of conventions shifting over time. While this *Guide* carefully explains the proper usage of references like *supra*, the Supreme Court has banished this word from its reports. The use of a dead language is not to be encouraged, apparently. Equally, while the Supreme Court used to strenuously avoid the use of footnotes even where supplementary information in a footnote may have been helpful, footnotes now appear in judgments with reasonable frequency, and their use varies greatly from judge to judge. There is room for idiosyncrasy. Some appellate judges eschew references to "the court below" on the basis that such elitist language conveys an unwarranted pretension to personal superiority. These are sensitivities that do not (and need not) find their way into the *Guide*.

The editors are quite right to insist on the desirability of citing the official reports (e.g. the *Supreme Court Reporter* series), where available, over the private services (e.g. the *Dominion Law Reports*) as this increases the accessibility of legal information to all readers. Furthermore, for a variety of reasons, citing from internet versions of sources can be problematic. For example, references to paragraph numbers in the online version of the SCRs from the 1990s or earlier are wrong because in that era, the paragraphs in Supreme Court judgments were not numbered. Thus, a pinpoint was referenced to the page, not the paragraph. However, the *Guide* in its commitment to detail and accuracy requires, whenever possible, citing the pinpoint to the paragraph. Moreover, in the case of official federal reports, the two official language versions are printed side by side. Both versions are equally authoritative, and some judges like to resolve an alleged ambiguity in one version by cross referencing it with the other version. Therefore, a citation that only references the DLR, WWR, or an online version of a judgment where a text is otherwise available in a bilingual format is to rightly be discouraged per the dictates of the *Guide*.

The present work is also helpful because, beyond the basics-such as the use of round versus square brackets-many of us are unfamiliar with the intricate "rules" governing proper legal citation. We cannot apply what we do not know. Certainly, many of us would not know the proper way to cite a "Tweet" (but within the confines of this book, the lawyer practicing due diligence will find the answer in section 6.19.5.1.2). By way of further example, the editors articulate gradations in the meaning of references that lawyers may otherwise perceive only dimly, such as the distinctions between "see", "see especially", "see e.g." and "see also", until they read the explanation in section 1.3.6. Now, armed with the guidance laid out in these pages, the legal community is better equipped to join the effort towards uniformity.

The Faculty of Law at McGill University is in an ideal position to provide guidance on such a multi-juridical and bilingual project because its scholarship spans the civil, common, and Indigenous legal systems of Canada. Moreover, as illustrated by this ninth edition of the *Guide*, the Faculty is also blessed with student editors of great initiative and industry. We continue to be in their debt.

The Honourable Ian Binnie CC QC
Former Justice at the Supreme Court of Canada
May 2018

Foreword by the Honourable Patrick Healy

The suggestion for a guide to legal citation was originally considered by the Editorial Board of the McGill Law Journal in 1981. The first edition was published in 1986 and new editions have since appeared almost every four years. With each edition, including this ninth edition, there have been significant modifications and improvements. The quality of the *Guide* is reflected in the wide range of publications and institutions that use it. These include most legal journals in Canada, various courts and other institutions.

The publication of the *Guide* filled a gap in Canada. Citation in legal writing was previously marked by inconsistency in form and substance. It was common to find inconsistency within a single text, among texts in a single publication, and among various publications. There were various books available that were typically concerned with methods of legal research, some of which included materials concerned with citation. But there was no consensus on the principles or forms of citations. Today there are various styles and models that are used in academic writing, by courts and other institutions, and by practitioners in Canada. This variety of styles and practices will remain and, for this reason, it is not easy to speak comfortably of binding, let alone uniform, rules of citation. None of these has established the influence of the *Guide* published by the *McGill Law Journal*. Widespread adoption of the *Guide* has enhanced the measure of consistency and discipline in legal citation in Canada.

A guide to citation is a specialised form of style manual but not one that lends itself to aesthetic elegance. Its aims are to promote the efficient communication of information, typically in technical references that justifies or explains the corresponding text. Citations in a text bear some resemblance to the relation between evidence and a thesis or argument. Legal citation is functional but vital to effective communication in the same manner as evidence supports a thesis. Any citation must be understood as an integral part of the text it serves. It should be in the text only if it merits a place and only to the extent that is necessary to make the text as a whole effective as the communication of its intended meaning.

On the principle that brevity is a virtue, citations must nevertheless be complete, accurate, and consistent. These characteristics cannot justify a claim or an ambition to a uniform style or practice of citation. This is amply demonstrated not only in the array of various models in Canada, and elsewhere, but in the noisy polemical debates in the United States concerning the merits of various guides.[1] At

---

1 See Susie Salmon, "Shedding the Uniform: Beyond a 'Uniform System of Citation' to a More Efficient Fit" (2016) 99:3 Marq L Rev 763; Fred R Shapiro & Julie Graves Krishnaswami, "The Secret History of the Bluebook" (2016) 100:4 Minn L Rev 1563; Richard A Posner, "The Bluebook Blues" (2011) 120:4 Yale LJ 850; Richard A Posner, "Goodbye to the Bluebook" (1986) 53:4 U Chicago L Rev 1343.

best guides can provide advice and conventions for consistent practice without claiming the authority of orthodox dogma.

This ninth edition once again shows great effort to maintain the currency and timeliness of the *Guide*. Apart from its bilingual character, the materials show close attention to French and other issues of citation in continental, national, and international jurisdictions. The editors have also made continuing efforts to simplify the style of citations, as in the reduction of periods, commas, and other cosmetic blemishes, but even here there might be room for further simplification. Perhaps the most recent feature in the *Guide* is the attention to materials available on the internet and other electronic media. With only little exaggeration, it is possible to find in the keyboard of many devices several national libraries and the accumulation of legal materials over centuries.

The shift from print to other sources of information is radical, of course, and far surpasses in magnitude the revolution of moveable print. It might be asked whether this shift will also lead to radical changes in the practice of citation. For example, the *Guide* maintains its position in favour of parallel citations for cases and many other forms of information. Print has not fallen into desuetude but serious consideration might well be given to a recommendation that favours neutral citations to the exclusion of parallel citations. Many lament the passing of hours in institutions called libraries in the reassuring company of objects of art known widely as books. Notwithstanding this nostalgia, the steady march of information technology has eroded the lumpish pleasure derived from the tactile manipulation of quires of paper stitched in a binding. The routine practices of research and writing have diminished the significance of paper sources and it might be argued in a near future that a neutral citation should be preferred, without need for parallel citations, for any available source. Such a shift would significantly enhance simplicity, brevity, and easy access.

The editors of the McGill Law Journal will continue through successive editions to ensure that the *Canadian Guide to Uniform Legal Citation* will keep pace with the dizzying changes in information and the demands for effective citation. For this ninth edition they deserve the warmest congratulations of the Canadian legal community for welcome, and necessary, guidance.

The Honourable Patrick Healy
Quebec Court of Appeal
May 2018

Foreword by Mtre Daniel Boyer

Citations are essential components of legal writing as we lead others, and others lead us, to legislation, jurisprudence, and secondary materials. All jurists must deploy and decipher references, and the protocols in this ninth edition of the *Canadian Guide to Uniform Legal Citation* present methods and formats to make the use of this indispensable informational apparatus easier and more comprehensive.

Citations can never be right or wrong in a judicial sense, but they can be accurate or inaccurate as they fulfil their task of leading researchers-effortlessly and efficiently-to the proper legal sources. This is proven by the frustrations inaccurate and incomplete citations cause when they lead us to seek erroneous information.

Citation is not a matter of *elegantia juris* and remains a predominantly formal exercise. Whereas consistency is vital to proper citation, homogeneity is not and citation practice often requires critical reflection. In his brilliant and witty book on the fundamental elements of academic writing, the Italian semiotician and novelist Umberto Eco thus sums up the purpose and function of citation:

> These guidelines are of the utmost importance, and you must have the patience to become familiar with them. You will realize that they are primarily functional guidelines, because they allow you and your reader to identify the exact book to which you are referring. But they are also rules, so to speak, of erudite etiquette. Their observance reveals a scholar who is familiar with the discipline, and their violation betrays the academic parvenu, and sometimes casts a shadow of discredit on an otherwise rigorous work. These rules of etiquette matter, and they should not be disparaged as a formalist's weakness. [. . .] [B]efore you can declare that it is unnecessary to italicize a book's title, you must first know that this is in fact the convention, and you must understand the reasons for this convention.[1]

Citation protocols have their critics, be they pragmatic, academic, or even conceptual. Debates on the form, content, and access of citation guides appear nowhere close to being settled. Nonetheless, development, if not progress, in citation continues thanks to an acceptance of Eco's "reasons for the convention." The ever-evolving form and content of legal sources and, of course, legal writing's extensive reliance on intertextuality, is the *raison d'être* of this volume.

Most, if not all, citation rules deploy abbreviations and part of becoming a fully-fledged legal scholar implies acquiring a fluency in their use. Just as any baseball fan knows that a "K" is a strike or any Mozart fan knows that "K" stands for the

---

[1] Umberto Eco, How to Write a Thesis, translated by Caterina Mongiat Farina and Geoff Farina (Cambridge, Mass: MIT Press, 2015) at 62.

Köchel catalogue, an accomplished jurist knows that "KB" is the King's Bench. Legal abbreviations have been with us since the days of Emperor Justinian who, notwithstanding his monumental achievement in guiding the Law's codification, failed to eradicate legal abbreviations despite having banned their usage in the *Corpus Juris Civilis*: "We order that the text of this codex shall not be written with deceptive symbols (*siglorum captiones*) and puzzling abbreviations (*compendiosa aenigmata*) [...] but they must be made intelligible by the ordinary sequence of letters."[2] The Emperor went on to stipulate punitive measures for those who "should dare to write Our laws in obscure symbols (*siglorum obscuritates*)."[3] Yet, as anyone familiar with legal texts knows, not even the Emperor could stop the growth of abbreviations in legal publications. Thanks to the rules and tables laid out in the *Guide*, both writers and readers can decipher and use abbreviations effectively.

Citation protocols reflect various jurisdictions' originality and can be characterized as deeply comparative despite the lack of grand theories buttressing them. As one can see at section 7.5.2 of the *Guide*, French decisions are cited with the court's name first and the name of the reporter (or the periodical) second, followed by the exact date of the decision; names of the parties are usually omitted, unlike the Common Law citation practice. What would a legal semiotician say of the continental emphasis on the court, versus the common law stress on the parties, despite the reliance of the principle of *stare decisis* on courts and dates?

Despite my long-standing involvement with the *Guide*, I have never succumbed to either citation fetishism or citation fundamentalism. I am happy to have borne witness to the *Guide*'s evolution from a rigid formalism to a clearer style and structure that increases access to legal knowledge, while consistently holding firm on fuzzy citation.

Mtre Daniel Boyer
Faculty advisor to the
Canadian Guide to Uniform Legal Citation
May 2018

---

[2] Cod 1.17.1 s 13 (Bruce W Frier, ed, *The Codex of Justinian: A New Annotated Translation, with Parallel Latin and Greek Text Based on a Translation by Justice Fred H Blume* (Cambridge: Cambridge University Press, 2016).

[3] *Ibid*, 1.17.2 s 22.

TABLE OF CONTENTS

1   GENERAL RULES

The rules in this *Guide* apply only to **footnote citations**, **in-text citations**, and **bibliographies**. They do not apply to the main text or textual footnotes (i.e., sentences and clauses that exist outside the confines of the citation); a style guide, such as the *Chicago Manual of Style*, should be used for issues arising in these areas.

Use the rules from the English section when writing in English, even if the source being referred to is in another language. Use the French rules only when writing in French. If a rule states that parentheses ( ) must be used, do not replace them with brackets [ ] and vice versa. The **bold, coloured font** has been used to make some examples in this *Guide* explicit.

1.1   BIBLIOGRAPHIES / TABLES OF AUTHORITIES

Divide bibliographies and tables of authorities into the following sections: **Legislation, Jurisprudence**, and **Secondary Materials**. If a source does not fit into a defined section, a residual section entitled **Other Materials** may be used. When appropriate, divide the Legislation and Jurisprudence sections into subsections (e.g., **Legislation: Canada**; **Legislation: France**; **Jurisprudence: Foreign**; etc.). It may also be useful to divide the **Secondary Material** section into subsections (e.g., **Secondary Material: Articles**; **Secondary Material: Monographs**).

Within each section, **list the entries in alphabetical order**. Sort legislation by title, jurisprudence by style of cause, and secondary materials by the author's family name.

If a citation directly follows a citation to another work by the same author, replace the author's names with a 3-em dash (i.e., three em dashes in a row, see the "Wampum at Niagara" example, above).

For secondary material included in a bibliography, **the author's family name appears first** to facilitate the classification in alphabetical order. Depending on cultural conventions, a family name may appear before, after, or in-between given names. If the family name normally appears first (e.g., **Wang Sheng Chang**), do not place a comma after it. If the given name normally appears first, place a comma after the surname (e.g., **Smith, Graham JH**). In the service of accuracy and respect for the source, present the author's name as it appears on the title page of the source publication, including any initials, even if this leads to different versions of his or her name in a subsequent reference to that author's work.

If there is more than one author for a reference, write the given name before the surname for every author except the first one (e.g., **Baudouin, Jean-Louis & Pierre-Gabriel Jobin**). If there is a work by a single author and a work by that same author and others (e.g., **Baudouin** and **Baudouin & Jobin**), cite the one with a single author first.

Insert a **hanging indent** of 0.63 cm ($^1/4$ inch) before each citation. Indent all the lines except for the first one.

LEGISLATION

Anti-terrorism Act, SC 2001, c 41.

Aggregate Resources Act, RSO 1990, c A.8.

National Arts Council Act (Cap 193A, 1992 Rev Ed Sing).

Tobacco Product Control Act, RSC 1985, c 14 (4th Supp).

JURISPRUDENCE

Delgamuukw v British Columbia, [1997] 3 SCR 1010, 153 DLR (4th) 193.

Kendle v Melsom, [1998] HCA 13.

Létourneau c Laflèche Auto Ltée, [1986] RJQ 1956 (Sup Ct).

Nova Scotia (Workers' Compensation Board) v Martin, 2003 SCC 54.

SECONDARY MATERIAL: MONOGRAPHS

Bakan, Joel *et al*, *Canadian Constitutional Law*, 3rd ed (Toronto: Edmont Montgomery, 2003).

Baudouin, Jean-Louis & Pierre-Gabriel Jobin, *Les obligations*, 5th ed (Cowansville, QC: Yvon Blais, 1998).

Christians, Allison, Samuel A Donaldson & Philip F Postlewaite, *United States International Taxation*, 2nd ed (New Providence, NJ: LexisNexis, 2011).

Macklem, Patrick, *Indigenous Difference and the Constitution of Canada* (Toronto: University of Toronto Press, 2001).

Nadeau, Alain-Robert, *Vie privée et droits fondamentaux* (Cowansville, QC: Yvon Blais, 2000).

Smith, Graham JH, *Internet Law and Regulation*, 3rd ed (London, UK: Sweet & Maxwell, 2002).

SECONDARY MATERIAL: ARTICLES

Borrows, John, "With or Without You: First Nations Law (in Canada)" (1996) 41 McGill LJ 629.

————, "Wampum at Niagara: The Royal Proclamation, Canadian Legal History, and Self-Government" in Michael Asch, ed, *Aboriginal and Treaty Rights in Canada: Essays on Law, Equity, and Respect for Difference* (Vancouver: UBC Press, 1997) 155.

Deleury, E, "Naissance et mort de la personne ou les confrontations de la médecine et du droit" (1976) 17 C de D 265.

Wang Sheng Chang, "Combination of Arbitration with Conciliation and Remittance of Awards: With Special Reference to the Asia-Oceana Region" (2002) 19 J Intl Arb 51.

1.2 IN-TEXT REFERENCES: MEMORANDUM AND FACTUM

In legal writing, the standard rule is to use footnotes; however, in memoranda and facta, citations should be included **in the main text**.

1.2.1 Memorandum

Include the reference immediately after the text, in parentheses.

The first time a reference is used, follow the usual rules for footnotes. If a reference is repeated later in the text, include a short form after the first citation (see *Hill*). If a reference is not repeated, do not include a short form (see *Robitaille*).

After the first time a reference is used, use only the short form and include a pinpoint reference if appropriate (e.g., *Hill* **at para 195**).

In addition to the requirement of an "actionable wrong" independent of the breach sued upon, punitive damages will only be awarded "where the defendant's misconduct is so malicious, oppressive, and high-handed that it offends the court's sense of decency" (*Hill v Church of Scientology of Toronto*, [1995] 2 SCR 1130 at para 196, 184 NR 1, Cory J [*Hill*]). Such behaviour has included defamation (*ibid*), failure to provide medical care (*Robitaille v Vancouver Hockey Club Ltd*, 124 DLR (3d) 228, [1981] 3 WWR 481 (BCCA)), and exceptionally abusive behaviour by an insurance company (*Whiten v Pilot Insurance Co*, 2002 SCC 18 [*Whiten*]).

Since the primary vehicle of punishment is the criminal law, punitive damages should be scarcely used (*ibid* at para 69). It is also important to underline that there cannot be joint and several responsibility for punitive damages because they arise from the misconduct of the particular defendant against whom they are awarded (*Hill* at para 195).

1.2.2 Factum

Paragraphs must be numbered. These numbers normally begin at the "Facts" section.

Provide a short form for every source cited.

Place the short form in parentheses immediately after the relevant text.

Write the complete reference **at the end of each paragraph**. Indent from both margins and use a smaller font size. Organize the references **in the order in which they appear in the paragraph text**. Start a new line after each reference. Do not use a semicolon.

Write the short form, used in the paragraph text, in brackets after the **first** citation of each source. Subsequent references need only use the short form with *supra* (section 1.4.3), which guides the reader to the appropriate paragraph (e.g., *Whiten*, *supra* **para 5 at para 69**). Do not use *ibid* (section 1.4.2) in a factum.

Include relevant pinpoints in the order that they are referenced in the paragraph text (e.g., *Whiten v Pilot Insurance*, 2002 SCC 18 **at paras 69, 101**).

5.   In addition to the requirement of an "actionable wrong" independent of the breach sued upon, punitive damages will only be awarded "where the defendant's misconduct is so malicious, oppressive and high-handed that it offends the court's sense of decency" (*Hill*). Such behaviour has included defamation (*Hill*), failing to provide medical care (*Robitaille*), and exceptionally abusive behaviour by an insurance company (*Whiten*)

> *Hill v Church of Scientology of Toronto*, [1995] 2 SCR 1130 at paras 196, 62–64, 184 NR 1, Cory J [*Hill*].
> *Robitaille v Vancouver Hockey Club Ltd*, 124 DLR (3d) 228, [1981] 3 WWR 481(BCCA) [*Robitaille* cited to DLR].
> *Whiten v Pilot Insurance Co*, 2002 SCC 18 [*Whiten*].

6.   Since the primary vehicle of punishment is the criminal law, punitive damages should be scarcely used (*Whiten*). It is also important to underline that there cannot be joint and several responsibility for punitive damages because they arise from the misconduct of the particular defendant against whom they are awarded (*Hill*).

> *Whiten, supra* para 5 at para 69.
> *Hill, supra* para 5 at para 195.

1.3   FOOTNOTES: RULES

In legal writing, the two most common forms of footnotes are textual footnotes and citation footnotes. **Textual footnotes** contain peripheral information that is relevant but would detract from the thrust of the argument if placed in the main text. **Citation footnotes** are used to indicate the source from which an argument or quotation has been drawn. Both textual and citation information can occur within a single footnote.

1.3.1   When to Footnote

Footnotes are required under the following circumstances: (1) at the first reference to the source; (2) at every subsequent quotation from the source; and (3) at every subsequent reference or allusion to a particular passage in the source. The full citation should be provided in the first footnote referring to a source.

1.3.2   How to Indicate a Footnote in the Text

In legal writing, footnotes are indicated by superscripted numbers. Roman numerals and special characters such as *, †, and ‡ are not normally used (the traditional exception being the use of * to indicate the author's biographical information at the beginning of an article).

Generally, place the footnote number at the end of the sentence, after the punctuation.[1] Note the contrast with the applicable rule for French footnote indications, where the footnote number precedes the punctuation. When referring to a word, place the footnote number[2] directly after the word, wherever it occurs in the sentence. When quoting a source, place the footnote number "after the quotation marks"[2] and, "where applicable, the punctuation."[3]

1.3.3   Where Footnotes Appear

Place footnotes on the same page as the text to which they refer (if possible). Set footnotes in a **smaller font** with a **horizontal line** separating them from the body of the text.

1.3.4   When to Combine Footnotes

Never place more than one footnote number at any given point in the main text. Instead, combine the supporting citations into one footnote. **Separate different citations in a footnote with a semicolon,** and end the entire footnote with a period.

Where the result is not confusing, citations to multiple sources may be combined into a single footnote at the end of a sentence or paragraph. Avoid combining footnotes that cite quotations from different sources.

[3] Martin Loughlin, "The Functionalist Style in Public Law" (2005) 55 UTLJ 361; Martin Loughlin, *Public Law and Political Theory* (Oxford: Clarendon Press, 1992).

1.3.5   Citation of Non-English Sources

When writing in English, use the English citation rules regardless of the language of the source, with the exception of the **title of the source**: keep the title in its original language and follow that language's rules for capitalization and punctuation. For all other elements of the citation, follow the English rules.

[1] Sylvio Normand, *Introduction au droit des biens* (Montreal: Wilson & Lafleur, 2000) at 40.
[2] *Loi n° 94-653 du 29 juillet 1994*, JO, 30 July 1994, (1994 2e sem) Gaz Pal Lég 576.

1.3.6   Introductory Signals

An introductory signal indicates the logical relationship between the cited source and the proposition stated in the main text. The default rule is to **put an introductory signal in all cases**:

... the name of the corporation shall be set out in the articles of incorporation.[1]

[1] See *Canada Business Corporations Act*, RSC 1985, c C-44, s 6(1).

There are **two exceptions**:

1) Where the footnote refers to a source which is directly quoted in the main text.

... "the fruits of the investigation which are in the possession of counsel for the Crown are not the property of the Crown for use in securing a conviction but the property of the public to be used to ensure that justice is done."[1] ...

[1] *R v Stinchcombe*, [1991] 3 SCR 326 at 333, 1991 CanLII 45.

2) Where the title of the source appears for the first time in the main text and the footnote only provides the other elements of the citation.

In *R v Stinchcombe*[1], the court held that...

[1] [1991] 3 SCR 326 at 333, 1991 CanLII 45 (SCC).

An introductory signal relates to every citation included in the sentence. In the following example, the signal see relates to the two books cited before the period and see also to the last book cited.

See Madeleine Cantin Cumyn, *L'administration du bien d'autrui* (Cowansville, QC: Yvon Blais, 2000) at nos 24-51; Emmanuel Gaillard, *Le pouvoir en droit privé* (Paris: Economica, 1985) at 150-55. See also Paul Roubier, *Droits subjectifs et situations juridiques* (Paris: Dalloz, 1963) at 186-87.

Italicize *cf* and *contra* only; e.g. remains in Roman font. Do not put a punctuation mark between the introductory signal and the source cited (even with e.g.). While not exhaustive, the following table presents the standard introductory signals.

See	The source cited **directly supports** the proposition.
See also	The source cited **provides added support** for the proposition, but is not the most authoritative or is not directly on point.
But see	The source cited **is in partial disagreement** with the proposition, but does not directly contradict it.
See e.g.	*Exempli gratia*, literally "for example". The source cited **is one of several that support** the proposition given, but the other supporting sources are not cited.
See generally	The source cited **supports and provides background information** relevant to the proposition. Explanatory parenthetical remarks are recommended (see section 1.3.7).
See especially	The source cited **is the strongest of several that support** the proposition. Use only when listing the best of many possible sources.
Cf	*Confer*, literally "compare". The source cited supports a different proposition, but one that is **sufficiently analogous so as to lend support** to the proposition. Explanatory parenthetical remarks are recommended (see section 1.3.7).
Contra	The source cited **directly contradicts** the proposition.

1.3.7   Parenthetical Information Within Footnotes

Where it is helpful to clarify how the cited source supports the in-text proposition, provide a **brief description or quotation of not more than one sentence** in parentheses following the citation. A pinpoint reference must follow any quotation in parentheses.

Begin the parenthetical information with a lower case letter. If the citation begins with a capital letter, change it to lower case in bracket.

[1] *Roncarelli v Duplessis*, [1959] SCR 121, 16 DLR (2d) 689, Rand J (discretionary decisions must be based on "considerations pertinent to the object of the administration" at 140); *Oakwood Development Ltd v St François Xavier (Municipality)*, [1985] 2 SCR 164, 20 DLR (4th) 641, Wilson J [*Oakwood* cited to SCR] ("[t]he failure of an administrative decision-maker to take into account a highly relevant consideration is just as erroneous as the improper importation of an extraneous consideration" at 174).

Parenthetical information refers to the source immediately preceding it. Therefore, in the example below, the parenthetical information would be placed immediately before aff'd if it were meant to refer only to the court of appeal decision.

[2] See *Lawson v Wellesley Hospital* (1975), 9 OR (2d) 677, 61 DLR (3d) 445, aff'd [1978] 1 SCR 893, 76 DLR (3d) 688 [*Lawson*] (duty of hospital to protect patient); *Stewart v Extendicare*, [1986] 4 WWR 559, 38 CCLT 67 (Sask QB) [*Stewart*] (duty of nursing home to protect resident).

1.4   PRIOR AND SUBSEQUENT REFERENCES TO A CITATION

Indicate the full citation only the first time a source appears. Subsequent references refer back to this initial citation.

1.4.1   Establishing a Short Form

1.4.1.1 General Rules

Do not create a short title if there is no further reference to the source in the work. If the title of a source is short (around three words or less), the full title may be used in all subsequent references (see note 10). If the title of a source is longer, create a short title for subsequent references.

Place the short title in brackets directly after the citation but before any parenthetical information (see *Stewart* in section 1.3.7) and case history (see section 3.11). Do not italicize the brackets.

Always italicize the short title for cases or legislation (e.g., *Charter*). Abbreviations of codes such as **CCQ** are not considered short forms, and thus should not be italicized.

In subsequent footnotes, use the appropriate cross-referencing signals (*supra*, *ibid*) and, where appropriate, the short title to direct the reader back to the footnote containing the full citation (see note 5).

[1] *Kadlak v Nunavut (Minister of Sustainable Development)*, 2001 NUCJ 1 [*Kadlak*].

[5] *Kadlak*, *supra* note 1 at para 15.

[7] *R v W (R)*, [1992] 2 SCR 122 at para 1, 74 CCC (3d) 134.

[10] *R v W (R)*, *supra* note 7 at para 3.

[14] James E Ryan, "The Supreme Court and Voluntary Integration" (2007) 121 Harv L Rev 131.

[40] Ryan, *supra* note 14 at 132.

1.4.1.2 Legislation

If a statute has an **official short title**, use only this short title in the initial citation. If the short title is brief, it may also be used in subsequent references.

> [1] *Museums Act*, SC 1990, c 3.

If a statute has **no official short title**, or if the official short title is too long for subsequent references, create a distinctive short title and indicate it in brackets at the end of the citation.

> [2] *Nordion and Theratronics Divestiture Authorization Act*, SC 1990, c 4 [*Nordion Act*].
> [3] *Canadian Charter of Rights and Freedoms*, Part I of the *Constitution Act, 1982*, being Schedule B to the *Canada Act 1982* (UK), 1982, c 11 [*Charter*].
> [4] *Charter of the French Language*, CQLR c C-11 [*Bill 101*].

Well-recognized abbreviations may also be used.

> [5] *Canada Business Corporations Act*, RSC 1985, c C-44) [*CBCA*].

1.4.1.3 Cases

Create a short form by choosing **one of the parties' surnames or a distinctive part of the style of cause**.

> *PPL Corp v Commissioner of Internal Revenue*, 569 US ___, 133 S Ct 1897 (2013) [*PPL*].

If appropriate, you may use other elements to identify the case:

1) A more widely known style of cause from a lower court.

> *Quebec (AG) v A*, 2013 SCC 5 [*Eric v Lola*].

2) The name of a ship in admiralty cases.

> *Overseas Tankship (UK) Ltd v Miller Steamship Co* (1966), [1967] 1 AC 617 at 625, [1966] 2 All ER 709 [*Wagon Mound No 2*].

3) The name of the drug in pharmaceutical patent litigation.

> *Apotex v Pfizer*, 2009 FCA 8 [*Viagra*].

To eliminate confusion when there are multiple cases with the same name, use the date of the decision for clarity. Note that the date is in Roman type.

> *R v Morgentaler*, [1993] 3 SCR 462, 1993 CanLII 158 [*Morgentaler* 1993].

To distinguish decisions from the same case at different court levels, use the abbreviations found in **Appendix B-2**. Note that the court abbreviation is in Roman type.

> [13] *Pappajohn v R*, [1980] 2 SCR 120, 1980 CanLII 13 [*Pappajohn* SCC].
> [14] *R v Pappajohn* (1978), 45 CCC (2d) 67, [1979] 1 WWR 562 (BCCA) [*Pappajohn* CA].

If the initial citation includes more than one source, but contains no pinpoint reference, indicate the reporter to which subsequent pinpoint references will be made by including cited to followed by the abbreviation of the reporter. If there is a pinpoint reference in the initial citation, do not include cited to. Make all further pinpoint references to the same source. For cases with a **neutral citation**, do not indicate the reporter to which subsequent references are directed. The paragraph numbers are determined by the court and are uniform across all reporters.

[2] *R v Van der Peet*, [1996] 2 SCR 507, 1996 CanLII 216 [*Van der Peet* cited to SCR].
[3] *R v Ruzic*, 2001 SCC 24 at para 2 [*Ruzic*].

1.4.1.4 Secondary Materials

Do not create a short form at the end of the first reference to the source. Only **use the author's surname** in subsequent references to the source.

[2] John Humphrey, *No Distant Millennium: The International Law of Human Rights* (Paris: UNESCO, 1989).
[12] Humphrey, *supra* note 2 at 25.

If citing two or more authors with the same last name, include an initial for each, or several if appropriate.

[7] Stephen A Smith, "Duties, Liabilities, and Damages" (2012) 125:7 Harv L Rev 1727.
[9] Lionel Smith, "The Province of the Law of Restitution" (1992) 71:4 Can Bar Rev 672.
[20] S Smith, *supra* note 7 at 1731.
[27] L Smith, *supra* note 9 at 675.

If **more than one work by a particular author is cited**, create a short form consisting of the author's name and a shortened form of the title of the work. In the short form of the title, maintain the same formatting as the full title-italics for books and quotation marks for articles.

[3] G Blaine Baker, "The Province of Post-Confederation Rights" (1995) 45 UTLJ 77 [Baker, "Post-Confederation Rights"].
[14] Baker, "Post-Confederation Rights", *supra* note 3 at 86.

If there are **two or more essays from the same collection**, apply the same rules to create a short form for the collection, and then use that form in the first citation of each additional essay. The short form rules found in this section should be applied normally to the subsequent references of any essay from that collection.

[13] Rebecca Veinott, "Child Custody and Divorce: A Nova Scotia Study, 1866-1910" in Philip Girard & Jim Phillips, eds, *Essays in the History of Canadian Law*, vol 3 (Toronto: University of Toronto Press, 1990) 273.
[86] Kimberley Smith Maynard, "Divorce in Nova Scotia, 1750-1890" in Girard & Phillips, *supra* note 13, 232 at 239.
[91] Maynard, *supra* note 86 at 243.

1.4.2 *Ibid*

Ibid is an abbreviation of the Latin word *ibidem*, meaning "in the same place". Use *ibid* to direct the reader to the **immediately preceding reference**. Do not provide the number of the footnote in which the preceding reference appears.

Ibid may be used **after a full citation** (see note 2), **after a *supra*** (see note 4) or even **after another *ibid*** (see note 5). For clarity, if there is more than one reference in the previous footnote, use *supra* rather than *ibid* (see note 3).

An *ibid* used without a pinpoint reference refers to the same pinpoint as in the previous footnote (see note 5). To cite the source as a whole, where the previous reference includes a pinpoint, use *supra* (see note 6).

To refer to the previous source within the same footnote, use *ibid* in parentheses (see note 98).

[1] See *Canada Labour Relations Board v Halifax Longshoremen's Association, Local 269*, [1983] 1 SCR 245, 144 DLR (3d) 1 [*HLA* cited to SCR].

[2] *Ibid* at 260. See also *Fraser v Canada (Public Service Staff Relations Board)*, [1985] 2 SCR 455 at 463, 23 DLR (4th) 122 [*Fraser*]; *Heustis v New Brunswick Electric Power Commission*, [1979] 2 SCR 768, 98 DLR (3d) 622 [*Heustis* cited to SCR].

[3] *Heustis, supra* note 2 at 775.

[4] *Ibid* at 780–82.

[5] *Ibid.*

[6] *Heustis, supra* note 2.

[98] For a more detailed analysis, see *Union des employés de service, Local 298 v Bibeault*, [1988] 2 SCR 1048, 95 NR 161 [*Bibeault* cited to SCR]. The Court cited a "patently unreasonable" standard of review (*ibid* at 1084–85).

1.4.3 *Supra*

Supra is the Latin word for "above". Use the short form in combination with *supra* to refer to the **footnote containing the original, full citation**. Do not use *supra* to refer to either an *ibid* or another *supra*.

Unlike *ibid*, *supra* always refers to the source alone and never implies reference to a pinpoint. Accordingly, reiterate the pinpoint even if the *supra* cites to the same passage as the original reference (see note 57).

If the source is clearly identified in the main text, it is unnecessary to re-identify that source in the footnote (see note 58).

To refer to both a previous footnote and the main text to which that footnote relates, use *supra* note # **and accompanying text** (see note 60). To refer only to the main text (rather than a footnote), use **above** rather than *supra* (section 1.4.4).

[1] *MacMillan Bloedel Ltd v British Columbia (AG)* (1996), 22 BCLR (3d) 137 at 147, 30 WCB (2d) 446 (CA) [*MacMillan*]; *Towne Cinema Theatres Ltd v R*, [1985] 1 SCR 494 at 501, 18 DLR (4th) 1 [*Towne Cinema*].

[2] *MacMillan, supra* note 1.

[57] *Towne Cinema, supra* note 1 at 501.

[58] *Supra* note 1 at 140.

[60] See also *Faraggi, supra* note 24 and accompanying text.

1.4.4   Above and Below

Use the words above and below to direct the reader to **a portion of the main text** and not to the footnotes.

See Part III-A, *above*, for more on this topic.
Further discussion of this case will be found at 164–70, *below*.

If there are no easily identifiable section or paragraph markers, or if the final pagination of the text is unclear at the time of writing, use the formulation see the text accompanying note #.

For further analysis of the holding in *Oakes*, see the text accompanying note 41.

1.5   PINPOINTS

	page	paragraph	section	article	footnote	number
singular	*Ibid* at 512.	*Ibid* at para 6.	*Ibid*, s 4(1).	*Ibid*, art 1457.	*Ibid* at 512, n 139.	*Ibid* at no 45.
plural	*Ibid* at 512–14.	*Ibid* at paras 6, 12.	*Ibid*, ss 4(1), 6(2)(*b*)(i)–(ii).	*Ibid*, arts 1457–69.	*Ibid* at 512, nn 139, 142–46.	*Ibid* at nos 45–47.

Use a pinpoint to cite to a specific portion of the text. Reference should be made, where possible, to paragraphs, sections, articles, footnotes, numbers, or any other division that is more precise than the page number. If there is no such divisions in the source, then refer to the page. For divisions that are not included in the table above, include at, the appropriate division, and the number (e.g. at note 7/3)

Separate **non-consecutive pinpoints** by a **comma**, and **consecutive pinpoints** by an **en dash** (–), not a **hyphen** (-). Retain at least the two last digits following the en dash (e.g., **159–60**).

If the page indexing system contains hyphens (e.g., **70.1-3, 70.1-4** etc.) or any other system that would otherwise be confusing to the reader when coupled with en dashes, prefer "to" when citing to a range of pages (e.g., **70.1-3 to 70.1-5**).

It is generally preferable to cite to a specific number or range, but to indicate a **general area**, place **ff** (the abbreviation of the Latin word "*folio*" or "*folium*", used to indicate "and following") immediately after the number (e.g., see paras **69ff**). Note that the divisions referred to are in the plural when **ff** is used (paras, ss, arts, nn, nos).

Do not abbreviate unnumbered elements (e.g., **Preamble**, **Schedule**, **Appendix**, **Preliminary Provision**, etc.) in a pinpoint.

1.6   ONLINE RESOURCES

A website is a collection of pages published on a server and accessible via the Internet. This does not include online databases, which will be dealt with in the appropriate sections relating to the various sources. Websites have the advantage of being accessible to all, but have the drawback of presenting temporary content and of not always having an official status. The only instances where it is possible to refer only to an Internet version of a source are when it is an official version, the only existing version, or the only reasonably accessible version. See the specific rules for online resources for every type of sources. See especially section 6.19.1 for websites.

1.6.1   Archiving of Internet Sources

To remedy the ephemeral nature of online content and to prevent link rot, refer to an archived URL in addition to the original URL. Place the archived URL in brackets at the end of the citation. The Perma system is strongly recommended (see the examples in section 1.6.2).

If the original URL is long and unwieldy, and an archived URL is included, indicate only the root original URL of the website.

1.6.2   Parallel Citations to Online Resources

If the content of a website exists in another format, refer first to the other format. It is nonetheless encouraged to mention the website as an additional reference because it is generally easier to access. Add the URL after the traditional citation. For the traditional citation, use the appropriate sections relating to the relevant type of sources.

Traditional citation, | online: | <URL> | [archived URL].

Henry Samuel, "March for Girl Set Alight After Marriage Refusal", *The Daily Telegraph* (28 November 2005), online: <www.telegraph.co.uk> [perma.cc/HC6D-K9M9].

Kahikino Noa Dettweiler, "Racial Classification or Cultural Identification?: The Gathering Rights Jurisprudence of Two Twentieth Century Hawaiian Supreme Court Justices" (2005) 6:1 Asian Pac L & Pol'y J 5, online: <www.hawaii.edu/aplpj> [perma.cc/8EYU-FMGV].

Jean Teillet, *Metis Law in Canada* (Vancouver: Pape Salter Teillet, 2013), online: <www.pstlaw.ca/resources/Metis-Law-in-Canada-2013.pdf> [perma.cc/TT3D-R42Z].

1.6.3 Digital Object Identifier

A digital object identifier (DOI) is a permanent, unique resource locator used to identify documents online, independent of their online location(s) at any given time. Documents assigned a DOI can be retrieved by entering the identifier into a search tool that recognizes and/or resolves them. Where a DOI is available for a given document, append the DOI to the end of the traditional citation.

Traditional citation | DOI: | <digital object identifier>.

Sir Daniel Bethlehem, "The Secret Life of International Law" (2012) 1:1 Cambridge J of Intl & Comp L 23, DOI: <10.7574/cjicl.01.01.1>.

1.7 CITING SOURCES THAT QUOTE OR REPRINT THE ORIGINAL SOURCE

It is always preferable to cite directly to an original source. If an original source is quoted in another work (the citing source), consult the original work in order to verify the context and accuracy of the reference.

1.7.1 Obscure Original Source

The original source may sometimes be **difficult to find** or may have been **destroyed**. In such exceptional circumstances, it may be necessary to cite to the original source as presented in a citing source. Provide as much information on the original work as possible, followed by cited in and the citation to the citing source.

Papers Relating to the Commission appointed to enquire into the state and condition of the Indians of the North-West Coast of British Columbia, British Columbia Sessional Papers, 1888 at 432–33, cited in Hamar Foster, "Honouring the Queen's Flag: A Legal and Historical Perspective on the Nisga'a Treaty" (1998) 120 BC Studies 11 at 13.

In certain cases, the original version of a document fully reprinted in a collection (e.g., collections reprinting debates, letters, treaties or manuscripts) is **only available in archives**. Provide a complete citation to the original work, followed by reprinted in and the citation to the citing source. Do not refer to books reprinting excerpts from original sources that are readily available (e.g., textbooks).

George R to Governor Arthur Phillip, Royal Instruction, 25 April 1787 (27 Geo III), reprinted in *Historical Documents of New South Wales*, vol 1, part 2 (Sydney: Government Printer, 1892–1901) 67.

1.7.2 Emphasis on the Citing Source

To highlight the fact that a work is referring to the original material (for example, when the secondary work is more eminent or trustworthy) include the citation to the citing source, followed by citing and the citation to the original source.

Canada (Citizenship and Immigration) v Khosa, 2009 SCC 12 at para 38, citing Pierre-André Côté, *Interprétation des lois,* 3rd ed (Cowansville, QC: Yvon Blais, 1999) at 91, n 123.

1.8   GENERAL RULES FOR QUOTATIONS

These rules apply to both main text and footnotes.

1.8.1   Positioning of Quotations

Place short quotations of **four lines or fewer** in quotation marks and incorporate them directly into the text. Indent from both margins and single space quotations of **more than four lines**. Do not use quotation marks. Legislative provisions may be indented even if they are fewer than four lines long.

> This principle, which has existed since 1929, is based on a dynamic conception of the constitution as "a living tree capable of growth and expansion."[1]
>
> Justice LeBel, writing for the Court, invoked the scenario that Justice Dickson (as he then was) used in *Perka* to explain the concept:
>
>> By way of illustration in *Perka*, Dickson J. evoked the situation of a lost alpinist who, on the point of freezing to death, breaks into a remote mountain cabin. The alpinist confronts a painful dilemma: freeze to death or commit a criminal offence. Yet as Dickson J pointed out at p 249, the alpinist's choice to break the law "is no true choice at all; it is remorselessly compelled by normal human instincts", here of self-preservation.[2]
>
> The *Civil Code of Quebec* begins in a peculiar way, introducing two legal concepts that are meaningless to the common citizen. Article 1 reads as following:
>
>> Every human being possesses juridical personality and has the full enjoyment of civil rights.[3]

1.8.2   Format of Quotations

Spelling, capitalization, and internal punctuation in a quotation must be **exactly the same as in the original source**; any changes and additions must be clearly indicated in brackets. If the sentence becomes incorrect in terms of grammar or punctuation, make the proper adjustments in brackets (for example, change a lower case letter to an upper case letter). Use an ellipsis (. . .) to indicate the omission of a passage from the quoted material. An ellipsis at the beginning or the end of the quoted material is usually unnecessary. Use an ellipsis at the extremities of a quotation only where the sentence is deliberately left grammatically incomplete.

Where the original source contains an error, **enclose the correction in square brackets, replacing the erroneous word or phrase**. Refrain from using [*sic*], except to draw attention to the original error or to keep the quotation unaltered.

In-text

It was clear from this moment that "[t]he centre . . . of American jurisprudence had changed."[32]

"[A] mixed question of fact and law" must be appealable.[42]

Text may be emphasized by using italics and placing [emphasis added] at the end of the citation. If the text was emphasized in the original copy, place [emphasis in original] at the end of the citation. If there are footnotes in the original text that are not reproduced in the quotation, place [footnotes omitted] at the end of the citation. (Note that the placement of such expressions after the citation in the footnote is contrary to the rule applicable in French.) Place these expressions after the establishment of a short form.

Footnotes

[31] *Norris, supra* note 21 [emphasis added].

[32] *Kadlak v Nunavut (Minister of Sustainable Development)*, 2001 NUCJ 1 at para 32 [*Kadlak*] [emphasis in original].

[77] Lamontagne, *supra* note 65 at 109 [footnotes omitted].

1.8.3   Quoting a Source in Another Language

If at all possible, use an English version of a source when writing in English and a French version when writing in French. Every Canadian jurisdiction passes statutes in English. If quoting in another language, a translation may be provided, but is not required. Clearly indicate any translation in the footnote and identify the translator. If the work is translated by a professional, indicate the translator's name (see section 6.2.2.4.1). If you, the author, translated the work, include [translated by author].

[1] Jacques Ghestin & Gilles Goubeaux, *Traité de droit civil: Introduction générale*, 4th ed (Paris: Librairie générale de droit et de jurisprudence, 1994) at para 669 [translated by author].

1.9   WRITING IN A FOREIGN LANGUAGE

The *Guide* is a Canadian work and applies to texts written in the country's two official languages. However, it is possible to adapt these rules to any other language, inspired by the English **or** the French section. The guidelines are **uniformity**, **clarity** and **facility of retracing a source** for the reader. The following guidelines are examples of adaptation rules.

Translate expressions such as "see", "cited in", "reprinted in", "emphasis added", and "with reference to", but keep the Latin expressions as they are. Follow the **form** rules, such as the order of elements and the structure of the document. Follow the **punctuation** rules of the language in which the text is written. If needed, consult grammar and usage guides. Make sure that the form of the punctuation marks remains consistent throughout the text.

For **legislation and jurisprudence**, follow the Canadian general forms, or adapt the forms presented in Foreign Sources (section 7). Use the statute volume and jurisdiction abbreviations as presented in the legislation's official document. Include the court and jurisdiction. For **jurisprudential sources**, follow the hierarchy of sources. Always keep the audience in mind and verify that the information is accessible to the reader. Use the abbreviation of the reporter as presented in the source, and always include the court and jurisdiction.

2 Legislation **E-21**

Legislation

2 LEGISLATION

2.1 STATUTES

2.1.1 General Form

> *Title*, | statute volume | jurisdiction | year, | chapter, | other indexing elements, | (session or supplement), | pinpoint.

Criminal Code, RSC 1985, c C-46, s 745.

Do not include a space between the statute volume and the jurisdiction.

If the statute reference includes session or supplement information, omit the comma that normally follows the immediately preceding element.

Income Tax Act, RSC 1985, c 1 (5th Supp), s 18(1)(m)(iv)(c).

Notwithstanding their quasi-constitutional status, the *Quebec Charter* and the *Canadian Bill of Rights* follows the rules provided in this section.

Charter of Human Rights and Freedoms, CQLR c C-12, s 10.
Canadian Bill of Rights, SC 1960, c 44, s 2.

When referring to Indigenous legislative documents, include basic, critical information, so that readers can track the source. If the document title is not in English or French, provide a description in parentheses or a translation in square brackets. Do not italicize such additional information. It is not necessary to translate names of Indigenous nations.

Akwesasne Tekaia'torehthà:ke Kaianerénhsera [Akwesasne Court Law], Kaiahneh-ronshera Iehiontakwa [Law Registry] No 2016-01, (2016), enacted pursuant to Mohawk Council Resolution 2015/2016-332, online (pdf): *Mohawk Council of Akwesasne* <webdev.akwesasne.ca> [perma.cc/9MW6-VXTZ].
Tk'emlúps te Secwépemc Property Transfer Tax Law, 2017, s 4, online (pdf): *Tk'emlúps* <tkemlups.ca> [perma.cc/BV5R-5LW3].

2.1.2 Point in Time Citations

When citing to a particular point in time, and the standard citation form is inadequate, use **as it appeared on [day month year]** or **as it appeared on [month year]** to clarify the point in time cited to.

Income Tax Act, RSC 1985, c 1 (5th Supp), s 20(1)(c) **as it appeared on 12 October 2012**.

2.1.3 Sources

In the following order, find legislation in (1) the appropriate jurisdiction's official electronic versions. If the official version is not available online, refer to (2) the printed revised or re-enacted statutes. As a last resort, refer to (3) annual volumes. Refer to annual volumes only if the statute was enacted since the last revision was published or if the relevant section of the statute has been added or amended since the revision date.

To find the official electronic versions, consult the table below, which provides the most relevant website on which legislation enacted by a given jurisdiction can be found. Many jurisdictions do not have an official electronic version of their statutes. The websites marked with an asterisk (*) refer to an unofficial version of the legislation. Official electronic versions are cited in the same manner as print sources; a URL reference is only required when referring to an unofficial version.

Jurisdiction	Website
Canada	lois-laws.justice.gc.ca/eng
Alberta	www.qp.alberta.ca/Laws_Online.cfm*
British Columbia	www.bclaws.ca*
Manitoba	web2.gov.mb.ca/laws*
New Brunswick	www2.gnb.ca/content/gnb/en/departments/attorney_general/acts_regulations.html
Newfoundland & Labrador	www.assembly.nl.ca/legislation
Northwest Territories	www.justice.gov.nt.ca/en/legislation*
Nova Scotia	nslegislature.ca/legc
Nunavut	www.nunavutlegislation.ca
Ontario	www.ontario.ca/laws
Prince Edward Island	www.princeedwardisland.ca/en/legislation/all*
Quebec	legisquebec.gouv.qc.ca/en/home
Saskatchewan	www.publications.gov.sk.ca/freelaw*
Yukon	www.gov.yk.ca/legislation*

Nunavut: For statutes enacted specifically for Nunavut by the Northwest Territories prior to 1 April 1999, provide the standard citation followed by **as enacted for Nunavut, pursuant to the *Nunavut Act*, SC 1993, c 28.**

> *Nunavut Judicial System Implementation Act*, SNWT 1998, c 34, as enacted for Nunavut, pursuant to the *Nunavut Act*, SC 1993, c 28.

Many Northwest Territories statutes are applied, mutatis mutandis, to Nunavut via section 29 of the federal Nunavut Act, SC 1993, c 28. When applicable, provide the standard citation followed by **"as duplicated for Nunavut by s 29 of the Nunavut Act, SC 1993, c 28."**

> *Official Languages Act*, RSNWT 1998, c O-1, as duplicated for Nunavut by s 29 of the *Nunavut Act*, SC 1993, c 28.

Quebec: Quebec maintains the Compilation of Quebec Laws and Regulations (**CQLR**), an **official, updated compilation** of its laws in force, available online. Statutes cited to this database use CQLR instead of the usual SQ or RSQ designation. Note that the Q for the jurisdiction is exceptionally in the middle of the statute volume (CQLR). The database is constantly updated and is undated; accordingly, do not provide a date when citing to the CQLR.

> *Securities Act*, **CQLR** c V-1.1, s 9.

Official **historical versions of legislation**, dating back until 1969, are available online at <www3.publicationsduquebec.gouv.qc.ca/loisreglements/loisannuelles.fr.html>. When citing historical versions, use the **RSQ** or **SQ** designation. At present, the years 1977-1995 are only available in French.

> *An Act Respecting the caisses d'entraide économique*, **RSQ** c C-3, s 1.

2.1.4   Title

Provide the **official short title**, which is usually found in the first section of the statute. If no official short title is provided, use the title found at the head of the statute. Include The only if it forms part of the title (as indicated in the official short title or at the head of the statute). If the title of the statute is provided in the main text, do not repeat it in the citation.

Italicize the title of the statute and place a non-italicized comma after the title. If the year is included as part of the title of the statute, ensure that it appears in italics (e.g., *Income War Tax Act, 1917*). Add the year after the jurisdiction even if the year is part of the title.

Follow the capitalization of words in the title as set out in the statute. Many English titles of Quebec statutes follow French capitalization rules. Do *not* capitalize letters in these titles to conform to English language capitalization rules.

> *Civil Marriage Act*, SC 2005, c 41.
> *Reciprocal Enforcement of Maintenance Orders Act*, SY 1980, c 25, s 5(2).
> *Income War Tax Act, 1917*, SC 1917, c 28.

NB: The statutes of the following jurisdictions are adopted in both English and French: Canada, Manitoba, New Brunswick, Ontario, Quebec, Nunavut, Northwest Territories, and Yukon. However, statutes adopted prior to a certain date may exist only in English.

2.1.5   Revised Statutes and Annual Volumes

Both **Revised Statutes** and **Re-enacted Statutes** are abbreviated to **RS**. For citations to annual volumes, abbreviate **Statutes** to **S**. Use S for Statutes (and not O for Ordinances) when referring to any volume, past or present, of Northwest Territories or Yukon legislation.

> *Children's Law Reform Act*, **RSO** 1990, c C.12.

Agricultural Land Commission Act, SBC 2002, c 36.

If a statute cannot be found in the current Revised Statutes, do not assume that it does not exist or that it is no longer relevant. For example, the *York University Act, 1965*, SO 1965, c 143, is still in force, despite not being included in a revision. Some jurisdictions, such as Ontario, list these statutes in a Table of Unconsolidated Statutes.

2.1.6 Loose-leafs

Loose-leafs are consolidations of legislation that are continually updated; accordingly, a citation to a loose-leaf service does not contain a date as it is assumed to be to the most recent version of the referenced statute (if greater clarity with respect to the date of the legislation is needed, use Point in Time Citation, section 2.1.2). With the advent of online consolidations, loose-leafs are generally falling out of use and authors should avoid referring to them when another official version is available somewhere else.

The provinces of Manitoba and Nova Scotia publish an official loose-leaf compilation, whereas some jurisdictions, like Alberta, publish an unofficial consolidation. The Nova Scotia loose-leafs do not have any special catalogue identifiers and should accordingly be cited in the same manner as revised statutes and annual volumes (see section 2.1.5).

Manitoba, which does not have an official online legislative database, maintains a loose-leaf service entitled the *Continuing Consolidation of the Statutes of Manitoba* (**CCSM**); this publication, however, should be used only as an optional parallel source, with the main citation being to either the revised statutes or the annual volumes. Do not place a comma between the name of the volume and the chapter number.

Retirement Plan Beneficiaries Act, SM 1992, c 31, **CCSM c R138**, s 14.

Quebec discontinued its loose-leaf updates to the RSQ in 2010 when the service was superseded by the Compilation of Quebec Laws and Regulations.

2.1.7 Jurisdiction

Place the jurisdiction immediately after the statute volume.

Proceeds of Crime (Money Laundering) and Terrorist Financing Act, SC 2000, c 17.
Workers Compensation Act, **SPEI** 1994, c 67.

See the column Statutes and Gazettes in **Appendix A-1** for Jurisdiction abbreviations.

2.1.8 Year, Session, and Supplement

Place the year after the jurisdiction, followed by a comma. If a session or regnal year follows the year, place the comma after the session or regnal year. Omit the year when citing the Compilation of Quebec Laws and Regulations (CQLR), or the loose-leaf edition of the statutes of Manitoba (CCSM), as these sources are continually updated and do not contain a date of publication. If greater accuracy with respect to the date is needed, use Point in Time citation (section 2.1.2).

> *Animal Protection Act*, RSA 2000, c A-41.

When a **session spans more than one year**, write the full date span of the volume (e.g., **1980–81**).

> *Government Organization Act, 1983*, SC 1980–81–82–83, c 167.

If a **statute volume is divided into several sessions** with independent chapter numbering, place the number of the session (**1st**, **2nd**, **3rd** or **4th**) and the abbreviation Sess in parentheses following the year.

> *An Act to amend the Business Licence Act*, SNWT 1985 (3rd Sess), c 1.

Refer to the **supplement** for acts and amendments that were passed during the year in which the *Revised Statutes* were issued, but that were not included in the revision. For example, the 1985 RSC was not proclaimed in force until late 1988; accordingly the statutes from 1985–1988 were reprinted to bring them within the ambit of the newly revised statutes (First Supplement = 1985 Acts; Second Supplement = 1986 Acts; Third Supplement = 1987 Acts; Fourth Supplement = 1988 Acts; Fifth Supplement = *Income Tax Act*). Place the supplement number and the abbreviation Supp in parentheses after the chapter.

> *Customs Act*, RSC 1985, c 1 (2nd Supp).

For federal statutes enacted before 1867, and for provincial statutes enacted before the province entered Confederation, give the **regnal year** in parentheses following the calendar year. Otherwise give the calendar year and not the regnal year.

Anne	Ann	George	Geo
Edward	Edw	Victoria	Vict
Elizabeth	Eliz	William	Will

> *An Act respecting the Civilization and Enfranchisement of certain Indians*, S Prov C 1859 (22 Vict), c 9.

2.1.9 Chapter

Abbreviate chapter to c and write the chapter designation exactly as shown in the statute volume, **including dashes and periods**.

> *Holocaust Memorial Day Act*, SBC 2000 c 3.
> *An Act respecting acupuncture*, CQLR c A-5.1.

Between 1934 and 1975–76, statutes in Newfoundland's annual volumes are designated by number. Abbreviate **Number** to No.

> *Child Welfare Act, 1972*, SN 1972 No 37.

2.1.10   Pinpoint

To cite a specific section of a statute, place a comma after the chapter and then indicate the relevant section or sections. Abbreviate **section** to **s** and **sections** to **ss** in the footnotes, but always write the full word in the text. Do not insert **at**.

Environmental Protection and Enhancement Act, RSA 2000, c E-12, ss 2, 38-42, 84.

Indicate further subdivisions (e.g., subsections, paragraphs, subparagraphs) as they appear in the legislation. Use parentheses to separate each subdivision even if there are no parentheses in the official version of the statute. Note that the abbreviation remains s or ss even in such cases.

Legal Profession Act, 1990, SS 1990, c L-10.1, ss 4(1), 6(2)(b)(i)-(ii), 9.

Cite an unnumbered or unlettered subdivision like a paragraph, abbreviated as **para** in the singular and **paras** in the plural.

Charter of the French Language, CQLR c C-11, Preamble, para 3.

For more general information on pinpoints, see section 1.5.

2.1.11   Amendments, Repeals, and Re-enactments

Citations are presumed to be to the statute **as amended on the date of publication** of the author's text.

Crown Liability and Proceedings Act, RSC 1985, c C-50.

Indicate that the statute has been amended only if it is relevant to the point being discussed in the text. When indicating an amendment, cite the original statute first, followed by **as amended by** and the citation for the amending statute. Indicate the title of the second statute only if it is different from the title of the first statute, or if it is not included in the title of the first statute cited.

Emergency Measures Act, SM 1987, c 11, as amended by SM 1997, c 28. *Municipal Government Act*, RSA 2000, c M-26, s 694(4), as amended by *Municipal Government Amendment Act*, SA 2003, c 43, s 4.

When an act has been **repealed**, always indicate the repeal in the citation (as repealed by).

Family Benefits Act, RSO 1990, c F.2, as repealed by *Social Assistance Reform Act, 1997*, SO 1997, c 25, s 4(1).

Use **amending** when referring specifically to a statute that amends an earlier statute, and use **repealing** when citing a statute that repeals an earlier statute.

An Act to Amend the Labour Standards Act, SNWT 1999, c 18, amending RSNWT 1988, c L-1.

An Act respecting the James Bay Native Development Corporation, CQLR c S-9.1, repealing *An Act to incorporate the James Bay Native Development Corporation*, SQ 1978, c 96.

If a statute or part of a statute was repealed and another substituted, cite the original statute first, followed by **as re-enacted by** and the citation for the new replacement section. Use this term only if the repealed and substitute provisions are found in the same section.

2.1.12   Appendices

For statutes that appear in an appendix, always provide the official citation first, followed by the citation to the appendix. Introduce the appendix reference with the phrase **reprinted in**. Indicate the statute revision or volume to which the appendix is attached, followed by a comma and the appendix number. Write the appendix number in Roman numerals.

> *Canadian Bill of Rights*, SC 1960, c 44, **reprinted in** RSC 1985, Appendix III.

2.1.13   Statutes Within Statutes

Refer first to the title of the statute within the statute. Indicate the relevant part of the containing act and its full citation, introduced by a comma and **being**. Place pinpoint references to section numbers before the citation to the containing act.

> *Enterprise Cape Breton Corporation Act*, s 25, **being** Part II of the *Government Organization Act, Atlantic Canada, 1987*, RSC 1985, c 41 (4th Supp).

2.2   CONSTITUTIONAL STATUTES

Many constitutional statutes were enacted under different names than those used today; use the **new title**. Consult the Schedule to the *Constitution Act, 1982* to determine the new title of the statute. If appropriate, provide the old title in parentheses at the end of the citation. If necessary, include a citation to **Appendix II of RSC 1985** after the official citation. Most Canadian constitutional statutes are reprinted in Appendix II.

Note that pinpoint references to the *Canadian Charter* and the *Constitution Act, 1982* are immediately after the title. For any other constitutional statutes, place pinpoint references after the chapter number.

When referring to Indigenous constitutional documents, include basic, critical information, so that readers can track the source. If the document title is not in English or French, provide a description in parentheses or a translation in square brackets. Do not italicize such additional information.

Constitution Acts:

> *Constitution Act, 1867* (UK), 30 & 31 Vict, c 3, s 91, reprinted in RSC 1985, Appendix II, No 5.
> *Constitution Act, 1982*, s 35, being Schedule B to the Canada Act 1982 (UK), 1982, c 11.

Canadian Charter:

> *Canadian Charter of Rights and Freedoms*, s 7, Part I of the *Constitution Act, 1982*, being Schedule B to the *Canada Act 1982* (UK), 1982, c 11.

Indigenous Constitutions:

> *Nipissing Gichi-Naaknigewin* (Nipissing First Nation Constitution), (2014).
> *Nunatsiavut Constitution Act*, CIL 31-12-2012 N-3, online (pdf):
> <www.nunatsiavut.com/wp-content/uploads/2015/07/CIL-31-12-2012-N-3-
> Nunatsiavut-Constitiution-Act.pdf> [perma.cc/ZC35-89XB].

2.3   CODES

Do not use full citation form when referring to Canadian codes. Use the abbreviations below. Note that the full titles are in italics, whereas the abbreviations are in Roman type.

Title	Abbreviation
Civil Code of Québec	CCQ
Civil Code of Québec (1980)	CCQ (1980)
Civil Code of Lower Canada	CCLC
Code of Civil Procedure	CCP
Code of Penal Procedure	CPP

To cite another Canadian code, follow the general form of section 2.1.1 for the first reference, and create a short form, if needed, for subsequent citations. To refer to the former Code of Civil Procedure, place the year of adoption (1965) in parentheses after the abbreviation.

> Art 477 CCP (1965).

The provisions of Quebec codes are **articles**, not **sections**. Abbreviate article to **art** and articles to **arts**.

> Arts 1457-58 CCQ.

To cite the Minister's Comments on the Civil Code of Quebec, see section 4.2.1. To cite an annotated code, see the last example in section 6.2.1.

2.4   BILLS

> Number, | *title*, | session, | legislature, | jurisdiction, | year, | pinpoint | (additional information).

For the number, add C- before bills originating in the House of Commons and S- before bills originating in the Senate.

Use the long title of the bill. Italicize the title and follow the bill's capitalization. If referring to a provincial bill, include the jurisdiction. Do not provide the regnal year.

The subdivisions of a bill are **clauses**, abbreviated to **cl** and **cls** for plural. Include additional information as needed (e.g., the date of first reading or the state that the bill has reached at the time of writing). Place the information in parentheses at the end of the citation. If the chapter number of the bill is known, include the **future statute citation** after the date of assent as additional information (e.g., **(assented to 10 November 2004), SQ 2004, c 23)**.

Canada

> Bill C-26, *An Act to establish the Canada Border Services Agency*, 1st Sess, 38th Parl, 2005, cl 5(1)(e) (as passed by the House of Commons 13 June 2005).
>
> Bill S-3, *An Act to amend the Energy Efficiency Act*, 2nd Sess, 40th Parl, 2009, cl 5 (first reading 29 January 2009).

Provinces and territories

> Bill 59, *An Act to amend the Civil Code as regards marriage*, 1st Sess, 37th Leg, Quebec, 2004 (assented to 10 November 2004), SQ 2004, c 23.

2.5   REGULATIONS

The table below provides information on the appropriate form when referring to regulations based on the jurisdiction from which they originate. Not all the jurisdictions publish revised versions of their regulations (here the word "revised" should be understood as meaning "revised", "consolidated", or "re-enacted"). In the form column, the word "year" is marked with an asterisk (*) to indicate that only the last two digits must be used. Also, note that the year for revised regulations is the year of revision.

Jurisdiction		Form	Example
Canada	Revised	*Title*, CRC, chapter, pinpoint (year).	*Migratory Birds Regulations*, CRC, c 1035, s 4 (1978).
	Unrevised	SOR/year-number, pinpoint.	SOR/2000-111, s 4.
Alberta		Alta Reg number/year, pinpoint.	Alta Reg 184/2001, s 2.
British Columbia		BC Reg number/year, pinpoint.	BC Reg 362/2000, s 6.
Manitoba	Revised	Man Reg number/year*R, pinpoint.	Man Reg 468/88R, s 2.
	Unrevised	Man Reg number/year, pinpoint.	Man Reg 155/2001, s 3.
New Brunswick		NB Reg year-number, pinpoint.	NB Reg 2000-8, s 11.
Newfoundland	Revised	CNR number/year*, pinpoint.	CNR 331/78, s 7.
	Unrevised	Nfld Reg number/year*, pinpoint.	Nfld Reg 78/99, s 4.

Jurisdiction		Form	Example
Newfoundland and Labrador	Revised	CNLR number/year*, pinpoint.	CNLR 1151/96, s 6.
	Unrevised	NLR number/year*, pinpoint.	NLR 08/02, s 2.
Northwest Territories	Revised	RRNWT year, chapter, pinpoint.	RRNWT 1990, c E-27, s 16.
	Unrevised	NWT Reg number-year*, pinpoint.	NWT Reg 253-77, s 3.
Nova Scotia		NS Reg number/year, pinpoint.	NS Reg 24/2000, s 8.
Nunavut		Nu Reg number-year*, pinpoint.	Nu Reg 045-99, s 2.
Ontario	Revised	RRO year, Reg number, pinpoint.	RRO 1990, Reg 1015, s 3.
	Unrevised	O Reg number/year*, pinpoint.	O Reg 426/00, s 2.
Prince Edward Island		PEI Reg ECyear-number, pinpoint.	PEI Reg EC1999-598, s 3.
Quebec	Revised	CQLR chapter, rule number, pinpoint.	CQLR c C-11, r 9, s 10.
	Unrevised	OC number-year*, date, *Gazette* citation, pinpoint.	OC 868-97, 2 July 1997, (1997) GOQ II 3692, s 2.
Saskatchewan	Revised	RRS chapter, Reg number, pinpoint.	RRS c C-50-2, Reg 21, s 6.
	Unrevised	Sask Reg number/year, pinpoint.	Sask Reg 67/2001, s 3.
Yukon		YOIC year/number, pinpoint.	YOIC 2000/130, s 9.

Include the title of the regulations (mandatory) when referring to Consolidated Regulations of Canada. However, it is always recommended to include the title in italics at the beginning of the citation, followed by a comma.

Canada: Find federal regulations promulgated after the Consolidation in Part II of the *Canada Gazette*. Do not include a direct citation to the *Gazette*. For regulations starting from the year 2000, include the four digits of the year. For years up until 1999, use exceptionally the last two digits even if there is no asterisk in the table.

Offset of Taxes by a Refund or a Rebate (GST/HST) Regulations, SOR/91-49, s 4.

Newfoundland: All references to Newfoundland were retroactively amended to Newfoundland and Labrador. Only use the Newfoundland section of the table above for regulations repealed before 6 December 2001. Use the Newfoundland and Labrador section for other regulations.

Quebec: To cite the *Gazette officielle du Québec*, see section 2.6.1.

The table below provides the meaning of the abbreviations used in this section. For jurisdiction abbreviations, refer to the regulations column of **Appendix A-1**.

Abbreviation	Meaning	Abbreviation	Meaning
CRC	Consolidated Regulations of Canada	RR	Revised Regulations
SOR	Statutory Orders and Regulations	EC	Executive Council
Reg/R	Regulation(s)	OC/OIC	Orders in Council
CNR	Consolidated Newfoundland Regulation	GOQ	*Gazette officielle du Québec*
CNLR	Consolidated Newfoundland and Labrador Regulation	CQLR	Compilation of Quebec Laws and Regulations

2.6 OTHER INFORMATION PUBLISHED IN *GAZETTES*

2.6.1 General Form

Title (person or body), | (year) | *Gazette* abbreviation | part of *Gazette*, | page | (additional information).

Indicate the title of the item if appropriate. If the item is numbered in some way, include the number with the title, as it appears in the *Gazette*. Include the statutory instrument number (SI) if there is one. Include the name of the person or body concerned by a notice in parentheses after the title (optional).

The *Gazette* abbreviation is generally composed of the jurisdiction abbreviation followed with **Gaz**. See the Gazette column of the table in **Appendix A-1** for the jurisdiction abbreviation. Note that exceptionally the Gazette abbreviation in Quebec is **GOQ** for *Gazette officielle du Québec*.

Indicate the part of the *Gazette* following the abbreviation. If the *Gazette* is **not published in parts**, add a comma after the abbreviation and cite the page number (e.g., **GOQ, 74**).Include additional information, such as the name of the statute under which an order in council is made.

Ministerial Order 36/91, (1991) A Gaz I, 1609.
Notice (City of Abbotsford), (2004) C Gaz I, 2520.
OC 309/2001, (2001) A Gaz I, 1752 (*Provincial Parks Act*).

NB: The PDF of the *Canada Gazette* has been official since 1 April 2003 at <www.gazette.gc.ca>.

2.6.2   Orders in Council

An Order in Council is an instrument issued by the executive, which implements a government decision (such as the creation of a regulation).

2.6.2.1 Federal

Title, | PC year-number or SI/year-number | *Gazette* citation | (additional information).

Include the title in italics, if applicable. Include the **Privy Council** (**PC**) number or the statutory instrument (**SI**) number, if there is one. Provide additional information, such as the title of the act under which the order in council is made, if necessary.

> PC 1997-627, (1997) C Gaz II, 1381.
> *Withdrawal from Disposal Order (North Slave Region NWT)*, SI/97-42, (1997) C Gaz II, 1338.

2.6.2.2 Provincial and Territorial

Title, | Order in Council number, | *Gazette* citation | (additional information).

Include the title of the instrument if available. For the Order in Council number, use the abbreviation for **Order in Council** and the number as it appears in the relevant *Gazette* (this may include the year or the last two digits of the year). Provide additional information, such as the title of the act under which the order in council is made, if necessary.

> OIC 1989/19, (1989) Y Gaz II, 57.
> *Town of Paradise Order*, OC 99-529, (1999) N Gaz II, 451 (*Municipalities Act*).
> *Regulation respecting the lifting of the suspension and the application of section 41.1 of the* Act respecting labour standards for certain employees, OIC 570-93, (1993) GOQ II, 2607.

2.6.3   Proclamations and Royal Instructions

Citation of law that entered into force or issuer of proclamation or instruction, | type of document, | date, | SI/year-number, | *Gazette* or other citation.

For the type of document, use the words **Proclamation** or **Royal Instruction** if it is appropriate in the context. Include the date, followed by the *Gazette* or other citation. To cite the federal proclamations dating from 1972, include the statutory instrument (**SI**) number.

> *Sex Offender Information Registration Act*, SC 2004, c 10, proclaimed in force 15 December 2004, SI/2004-157, (2004) C Gaz II, 2021.
> Proclamation, 1 April 1991, (1991) S Gaz I, 1174.
> George R, Proclamation, 7 October 1763 (3 Geo III), reprinted in RSC 1985, App II, No 1.

George R to Governor Arthur Phillip, Royal Instruction, 25 April 1787 (27 Geo III), reprinted in *Historical Documents of New South Wales*, vol 1, part 2 (Sydney: Government Printer, 1892-1901) 67.

2.7 MUNICIPAL BY-LAWS

Municipality, | by-law or revised by-law | number, | *title* | (date), | pinpoint.

Provide the full title if no short title is available.

Unrevised

City of Whitehorse, by-law No 97-42, *Zoning By-law* (11 May 1998), s 1.

Revised

City of Montreal, revised by-law C S-0.1.1, *By-law Concerning Collection Services*, s 5.

2.8 RULES OF COURT

Jurisdiction, | issuing body, | *title*, | indexing number, | additional indexing information, | pinpoint.

Rules of court are procedural regulations governing judiciary and administrative bodies. Include the jurisdiction and issuing body unless it is part of the title of the rules. See the column of postal abbreviations in **Appendix A-1**. Do not indicate Canada for the rules of the Supreme Court of Canada or the Federal Court. Abbreviate **rule** as r. To cite to the Quebec *Code of Civil Procedure* or *Code of Penal Procedure*, see section 2.3.

Federal Court Immigration Rules, r 18.

Commission québécoise des libérations conditionnelles, *Règles de pratique*, r 10(4).

AB, *Rules of Court*, AR 124/2010, vol 1, r 10.50.

2.9 SECURITIES COMMISSIONS

Title, | commission | document | bulletin citation | (date), | pinpoint.

Cite securities national instruments, national policies and other documents to **provincial securities commissions**. Abbreviate **National Policy** as **NP** and **National Instrument** as **NI**. For amendments, proposed rules, staff notices, requests for comments, and other commission documents, cite to the **securities commission bulletin** or similar publication, if available.

Mutual Reliance Review System for Exemptive Relief Applications, OSC NP 12-201, (2005) 28 OSCB 7166.

Proposed Amendments to Multilateral Instrument 52-109 Certification of Disclosure in Issuers' Annual and Interim Filings and Companion Policy 52-109CP, MSC Notice 2005-19 (1 April 2005).

CSA Notice — Amendments to NI 31-101 National Registration System and NP 31-201 National Registration System, OSC6 CSA Notice, (2006) 29 OSCB 3955 at 3956.

7.4.3.2.2 State

US, | *title*, | number of the legislative body or the year, | legislature number or designation, | state | (publication information) | pinpoint | (speaker).

Abbreviate the state according to the list in **Appendix A-2**. Always cite the year of publication, and provide further publication information if available.

> US, *Rico Litigation: Hearing on S 1197 Before the Senate Comm On Commerce and Econ Dev*, 41st Legis, 1st Reg Sess 5, Ariz (1993) (Barry Wong, policy analyst).

7.4.3.3 Reports and Documents

7.4.3.3.1 Federal

7.4.3.3.1.1 Numbered Documents and Reports

US, | issuing body, | *title* | (number) | (publication information) | pinpoint.

Indicate the issuing body unless it is named in the title of the report. Always cite the year of publication, and provide further publication information if available.

> US, *Secrecy: Report of the Commission on Protecting and Reducing Government Secrecy: Pursuant to Public Law 236, 103rd Congress* (S Doc No 105-2) (Washington, DC: US Government Printing Office, 1997) at 3.
>
> US, Senate Committee on the Budget, 111th Cong, *Concurrent Resolution on the Budget FY 2010* (Washington, DC: US Government Printing Office, 2009) at 213.

Abbreviations of numbers:

Documents	Reports
HR Doc No	HR Rep No
HR Misc Doc No	HR Conf Rep No
S Doc No	S Rep No
S Exec Doc No	

7.4.3.3.1.2 Unnumbered Documents and Committee Prints

US, | issuing body, | *title* | Committee Print | (publication information) | pinpoint.

Include the Congress number with the issuing body, if relevant. Always cite the year of publication, and provide further publication information if available.

US, Staff of House Committee on Veterans' Affairs, 105th Cong, *Persian Gulf Illnesses: An Overview*, Committee Print (1998) at 15.

US, National Commission on Children, *Beyond Rhetoric: A New American Agenda for Children and Families* (Washington, DC: The Commission, 1991) at 41.

7.4.3.3.2 State

US, | issuing body, | *title* | (number) | (publication information) | pinpoint.

Provide the document number, if available.

US, California Energy Commission, *Existing Renewable Resources Account, vol 1* (500-01-014V1) (2001).

Always cite the year of publication, and provide further publication information if available.

US, Washington State Transport Commission, *Washington's Transportation Plan 2003-2022* (Washington State Department of Transportation, 2002).

7.5   FRANCE

7.5.1   Legislation

7.5.1.1 Statutes and Other Legislative Instruments

Title, | JO, | publication date | (NC), | page or document number, | parallel citation.

Cite the title of the statute in French, but provide the date of publication and all related information in English. If the legislation has a number, then the descriptive title is optional. If the legislation does not have a number, include its descriptive title in full.

Always cite first the **Journal officiel de la République française**, abbreviated to **JO**. The Journal officiel is available free of charge on Légifrance (www.legifrance.gouv.fr). Include the publication date and the page or document number. When referring to the print version of the Journal official, provide the page number. When referring to the online version, provide the document number introduced by no. For JO supplements, place (NC) for **numéro complémentaire** after the publication date. For a list of earlier versions of the Journal officiel, consult section 7.5.3.2.

Ordonnance nº 2001-766 du 29 août 2001, JO, 31 August 2001, 13946, [2001] D 2564.

Décret du 5 décembre 1978 portant classement d'un site pittoresque, JO, 6 December 1978 (NC), 9250.

Arrêté du 24 mai 2017 relatif à l'insaisissabilité de biens culturels, JO, 17 June 2017, no 16.

7.5.1.2 Codes

Code civil des Français **(1804–1807)**	art 85 CcF
Code Napoléon **(1807–1814)**	art 85 CN
Code civil **(1815–)**	art 1536 C civ
Code pénal	art 113-10 C pén
Code de procédure civile	art 1439 C proc civ
Code de propriété intellectuelle	art 123(8) CPI
Code de procédure pénale	art 144(2) C proc pén

Full citations are never used when referring to codes. To cite to one of the codes illustrated here, use the abbreviated name. To cite to another code, write the full title of the code at the first reference, and create a short form if needed (e.g., **art 1** *Code de la consommation* **[C cons]**).

7.5.2   Jurisprudence

Use the **document numbers at the top** of the pages of *La semaine juridique*. Use the numbers at the bottom only to pinpoint to a specific page.

7.5.2.1 General Form

> Court or chamber | city, | date, | *style of cause*, | [year of publication | session] | reporter | section | page or document number | pinpoint, | decision number | (annotation).

See **Appendix B-2** for the abbreviations of the names of the French courts and chambers.

7.5.2.2 Courts

7.5.2.2.1 Courts of First Instance

> Trib admin Rouen, 27 December 2007, [2008] JCP G II 10041 (note Colette Saujot).
> Trib gr inst Paris, 10 September 1998, [1999 1er sem] Gaz Pal Jur 37.

7.5.2.2.2 Courts of Appeal

> CA Paris, 21 May 2008, *K c E et Sté nationale de télévision France 2* [2008] JCP Jur 390, No 06/07678.
> CA Paris, 24 February 1998, [1998] D Jur 225 at 225.

7.5.2.2.3 Cour de cassation

Cass civ 1re, 14 December 1999, [1999] Bull civ I 222, No 97-15.756.
Cass crim, 24 February 2009, [2009] D 951 at 951, No 08-87.409.

7.5.2.2.4 Conseil d'État

Abbreviate **Conseil d'état** to CE.

CE, 27 January 1984, *Ordre des avocats de la Polynésie française*, [1984] Rec 20.

7.5.2.2.5 Conseil constitutionnel

Abbreviate **Conseil constitutionnel** to Cons const.

Cons const, 25 June 1986, *Privatisations*, [1986] Rec 61, 86-207 DC.

7.5.2.3 Style of Cause

Omit the style of cause except: (1) when citing a decision from an administrative tribunal or the Conseil d'État (but not in every case); (2) when citing an unpublished decision or one that is summarized in the *Sommaire* section of a reporter; (3) to avoid confusion (e.g. where two decisions were rendered on the same day by the same court); (4) when the case is better known by the names of the parties than by the usual information.

When the style of cause is included, italicize it and place it after the date, set off by commas.

Cass civ 1re, 5 February 1968, *Ligny-Luxembourg*, [1968 1er sem] Gaz Pal Jur 264.

7.5.2.4 Year and Session

Include the year of publication in square brackets before the abbreviation of the reporter. If citing the online version of the **Gazette du Palais** (Gaz Pal), the year of publication should be in parentheses before the issue number.

Cons const, 19 June 2008, [2008] JCP G Jur 449, 2008-564 DC.
Cass civ 1re, 15 February 2005, (2006) 337 Gaz Pal 46 (note S Lafargeas).

When citing an issue of the **Gazette du Palais** published in or before 2000, include the session after the year of publication, before the closing bracket. Keep the abbreviations for the ordinal number in French and write sem for **semestre**.

CA Orléans, 23 October 1997, [1999 1er sem] Gaz Pal Jur 217, (note Benoît de Roquefeuil).

7.5.2.5 Reporter

Place a single space between each informational element: (1998 1re sem) Gaz Pal Jur 176.

Cass civ 3e, 23 June 1999, [2000] JCP II 10333.

See **Appendix C-2** for the abbreviations of French reporters.

7.5.2.6 Section

When the sections in the volume are numbered, indicate the section number in Roman numerals after the year of publication. When the sections are not numbered, provide the abbreviation of the section title. Do not include the section when citing the *Recueil Lebon* (**Rec**), the *Actualité juridique de droit administratif* (**AJDA**), the *Semaine juridique* (**JCP**) after the 24th issue of 2009, or *Dalloz* (**D**) as of 2001.

Abbreviation of section titles:

Chroniques	Chron
Doctrine	Doctr
Informations rapides	Inf
Jurisprudence	Jur
Législation, Lois et décrets, Textes de lois, etc.	Lég
Panorama de jurisprudence	Pan
Sommaire	Somm

7.5.2.7 Page and Decision Number

Indicate the page number after the section or the year of publication. For the *Semaine Juridique*, provide the decision number (e.g., **10000 bis**).

> Ass plén, 6 November 1998, [1999] JCP G II **10000 bis**.

For the *Bulletin de la Cour de cassation* cite both the page and decision number separated by a comma and a space.

> Cass civ 2e, 7 June 2001, [2001] Bull civ II **75, No 110**.

7.5.2.8 Pinpoint

Pinpoint citations are rarely used, given the brevity of most decisions. If required, it is always placed after the page number and introduced by **at**.

> Trib gr inst Narbonne, 12 March 1999, [1999 1er sem] Gaz Pal Jur 405 **at 406**.

7.5.2.9 Notes

Any annotation or other writing appended to or included with a case must be indicated at the end of the citation, in parentheses. Irrespective of the type of writing referred to, write **note** followed by the author's name.

> Cass civ 1re, 6 July 1999, [1999] JCP G II 10217 **(note Thierry Garé)**.

7.5.3   Government Documents

Indicate France at the beginning of the citation of every government document.

7.5.3.1 Debates

7.5.3.1.1 From 1787 to 1860

> France, | *Archives parlementaires*, | series, | tome, | date, | pinpoint | (speaker).

Cite to *Archives parlementaires: Recueil complet des débats législatifs et politiques des chambres françaises*, using the short title *Archives parlementaires*. Indicate the series after the title. The first series covers 1787–1799, the second 1800–1860. Pinpoint to sections, not to articles. Add the name of the speaker (if provided) in parentheses at the end of the citation.

> France, *Archives parlementaires*, 1st series, t 83, 5 January 1794, s 3.

7.5.3.1.2 1871 to the Present

> France, | *journal*, | house, | Débats parlementaires, | division, | number and date, | pinpoint, | (speaker).

From 1871 to the present, parliamentary debates are published in the ***Journal officiel de la République française***, abbreviated *JO*. Indicate the house, followed by Débats parlementaires. For parliamentary debates published between 1871 and 1880 inclusive, omit both the house and Débats parlementaires. For parliamentary debates published between 1943 and 1958 inclusive, indicate only Débats de [name of house].

> France, *JO*, Assemblée nationale, Débats parlementaires, Compte rendu intégral, 2nd session of 10 February 2004, at 1570, (Pascal Clément).
> France, *JO*, Sénat, Débats parlementaires, Compte rendu intégral, Session of 20 November 2003.

Indicate the division only from 1980 to the present for the Assemblée nationale, and from 1983 to the present for the Sénat. The divisions are Compte rendu intégral and Questions écrites remises à la Présidence de l'Assemblée nationale et réponses des ministres for the Assemblée nationale, and Compte rendu intégral and Questions remises à la Présidence du Sénat et réponses des ministres aux questions écrites for the Sénat.

Indicate the number (if provided) and the date of the session followed by the pinpoint. The name of the speaker may be added in parentheses at the end of the citation.

7.5.3.2 Earlier Versions of the Journal officiel

> France, | *title*, | year or date of publication, | tome or volume | pinpoint.

Before 1871, parliamentary debates, parliamentary documents, and non-parliamentary documents were generally published in the various precursors to the *Journal officiel de la République française*:

1789–1810	*Gazette nationale, ou le Moniteur universel*
1811–1848	*Moniteur universel*
1848–1852	*Moniteur universel, Journal officiel de la République*
1852–1870	*Journal officiel de l'Empire français*

France, *Journal officiel de l'Empire français*, 1868, t 1 at 14.
France, *Gazette nationale, ou le Moniteur universel*, 1 July 1791, t 9 at 3.

The citation form varies according to the organization of the journal. In general, the citation should include at least the title, the year in question or the date of publication, the tome or volume (if any), and the pinpoint.

7.5.3.3 Parliamentary Documents

7.5.3.3.1 Travaux et réunions parlementaires

France, | house, | issuing body, | "title", | Compte rendu or *Bulletin* | (date) | (President).

Indicate the title of the *travaux*, then the number of the corresponding **Compte rendu** (for *travaux* of the Assemblée nationale) or the date of the **Bulletin** (for *travaux* of the Sénat). Unlike **Compte rendu**, *Bulletin* should be in italics. Add the name of the president (if provided) in parentheses at the end of the citation.

France, Assemblée nationale, Délégation aux droits des femmes, "Auditions sur le suivi de l'application des lois relatives à l'IVG et à la contraception", Compte rendu No 4 (6 November 2001) (President: Martine Lignières-Cassou).

France, Sénat, Commission des affaires étrangères, "Auditions de M. Dominique de Villepin, Ministre des affaires étrangères", *Bulletin* de la semaine du 27 janvier 2003 (28 January 2003) (President: André Dulait).

7.5.3.3.2 Rapports d'information (Reports)

France, | house, | issuing body, | *title,* | by author(s), | report number | (date) | pinpoint.

France, Sénat, Délégation pour l'Union européenne, *Le projet de traité établissant une Constitution pour l'Europe,* by Hubert Haenel, Report No 3 (1 October 2003) at 4.

France, Assemblée nationale, *Rapport d'information déposé en application de l'article 145 du Règlement par la mission d'information commune sur le prix des carburants dans les départements d'outre-mer,* by Jacques Le Guen & Jérôme Cahuzac, Report No 1885 (23 July 2009) at 63.

7.5.3.4 Non-parliamentary Documents

France, | issuing body, | *title*, | report number or volume, | publication information | pinpoint | (additional information).

Follow the rules for Canadian non-parliamentary documents in section 4.2.

France, *Commission d'enquête sur la sécurité du transport maritime des produits dangereux ou polluants*, Report No 2535, vol 1, (5 July 2000; President: Daniel Paul).

France, Conseil économique et social, *La conjoncture économique et sociale en 2005*, Avis et rapports du Conseil économique et social, *JO*, No 2005-09 at I-8 (1 June 2005; report by Luc Guyau).

France, Ministère de la justice, *Bulletin officiel*, No 82 at 3 (1 April–30 June 2001).

7.5.4 Doctrine

7.5.4.1 General Form

Author, | "title of article" | [year of publication] | reporter | section | first page or document number, | pinpoint.

Refer to sections 6.1.2, 6.1.3, 7.5.2.4, 7.5.2.5, and 7.5.2.6 to cite the author and title of articles published in French general reporters. See **Appendix C-2** for the abbreviations of French reporters.

Jean-Christophe Galloux, "La loi du 6 mars 1998 relative à la sécurité et à la promotion d'activités sportives" [1998] JCP G I 1085.

Nicolas Molfessis, "La controverse doctrinale et l'exigence de transparence de la doctrine" [2003] RTD civ 161 at 161.

Hélène Popu & Jean-Philippe Tricoit, "Le partage des cendres" [2004] 19 Defrénois 1285.

If the article is not paginated, include the document number (and the type of document if applicable).

Alain Gauvin, "La question récurrente de la qualification juridique des dérivés de crédit" [2004] 3 R Dr bancaire & financier, étude 1000032, see the text accompanying note 9.

Use the same form for comments published in general French reporters.

Xavier Labbée, "Esquisse d'une définition civiliste de l'espèce humaine" [1999] D Chron 437 at 440.

7.5.4.2 Notes

Author, | note of | court, | date of decision, | [year of publication] | reporter | section | first page or document number.

French reporters often publish notes below the summary of a case. To cite to a note, include the name of the author followed by the words note of. Provide the case citation according to the rules on citing French jurisprudence at section 7.5.2.

> Danielle Corrignan-Carsin, note of Cass soc, 10 May 1999, [1999] JCP G II 1425.

7.5.4.3 Encyclopedic Digests

7.5.4.3.1 General Form

> *Title of collection*, | edition, | subject heading | by | author of the section, | pinpoint.

Provide the full title of the collection in italics. If **more than one edition** of the encyclopedia has been published, include the number of the edition.

> *Encyclopédie juridique Dalloz: répertoire de droit commercial*, 2nd ed, "Publicité foncière" by Luc Bihl, No 256.
> *Juris-classeur civil*, art 1354, fasc A by Roger Perrot.

7.5.4.3.2 Subject Headings

Regardless of the system of classification of the subject headings, indicate the number of the fascicle after the volume number, separated by a comma. Do not cite the date of the revision of the fascicle.

Organized alphabetically:

Include the keyword indicating the section in quotation marks.

> *Encyclopédie juridique Dalloz: répertoire de droit civil*, "Personnalité (droits de la)" by D Tallon, No 153.

If there is a fascicle number corresponding to the section, insert fasc followed by the alphanumeric indication.

> *Juris-classeur civil annexes*, "Associations", fasc 1-A by Robert Brichet.

Organized by articles of a code:

Provide the article number under which the section is classified. Use the same form as is used in the collection. If applicable, indicate the fascicle.

> *Juris-classeur civil*, arts 1315-1326, fasc 20 by Daniel Veaux.

Organized by volume:

Provide the number of the volume in which the section is found. If applicable, indicate the fascicle.

> *Juris-classeur commercial: banque et crédit*, vol 2, fasc 32 by Jean Stoufflet.

7.6 AUSTRALIA

7.6.1 Legislation

> *Title* | (jurisdiction), | year/number, | pinpoint.

This section applies to statutes and delegated legislation (regulations). Cite the act's official short title in italics. Include the year of act as part of the title. Place the abbreviation of the jurisdiction after the title. See **Appendix A-3** for the abbreviations of jurisdictions for Australia.

Statute:

> *Marine Pollution Act 1987* (NSW), 1987/299, s 53(1)(d).

Delegated legislation:

> *Admiralty Amendment Rules 2002 (No 1)* (Cth), 2002/109, r 5(b).

7.6.2 Jurisprudence

Recent Australian caselaw is accessible on the free online database AustLII.

7.6.2.1 General Form

Follow the same format as used for Canadian jurisprudence, except for the year, which is placed in square brackets (see section 3).

> *Neilson v Overseas Projects Corporation of Victoria Ltd*, [2005] HCA 54.

In absence of neutral citation, **always provide the year of judgment** in parentheses after the style of cause.

> *Standard Portland Cement Company Pty Ltd v Good* (1983), 57 ALJR 151 (PC).

Provide the year of the reporter **only if it differs from the year of judgment.**

> *Thwaites v Ryan* (1983), [1984] VR 65 (SC).

7.6.2.2 Neutral Citation

Many Australian courts have adopted neutral citation. All cases on AustLII have a neutral citation. The format is the same as Canadian neutral citation (see section 3.5) except that the year is placed in square brackets.

7.6.2.3 Reporter

See **Appendix C-2** for the abbreviations of the series for the *Law Reports*. For **Privy Council** (PC) and **High Court of Australia** (HCA) decisions, cite to the official CLR before ALR. For other federal court decisions, cite to the official FCR before FLR. For Australian States and Territories, cite to the official state or territorial court reporter when possible.

7.6.2.4 Jurisdiction and Court

See **Appendix B-2** for the abbreviations of Australian courts. For state and territorial courts, if the jurisdiction is obvious from the reporter cited, only indicate the level of court.

7.6.3 Government Documents

Place Austl at the beginning of the citation.

7.6.3.1 Debates

> Austl, | jurisdiction, | house, | *Parliamentary Debates* | (date) | pinpoint | (speaker).

After Austl, indicate the jurisdiction. See **Appendix A-3** for Australian abbreviations.

Always indicate the reporter as **Parliamentary Debates**.

> Austl, Commonwealth, House of Representatives, *Parliamentary Debates* (17 September 2001) at 30739 (Mr Howard, Prime Minister).
> Austl, Victoria, Legislative Assembly, *Parliamentary Debates* (23 October 1968) at 1197.

7.6.3.2 Parliamentary Papers

> Austl, | jurisdiction | *title*, | number | (year) | pinpoint.

The number is preceded by **Parl Paper No**.

> Austl, Commonwealth, *Department of Foreign Affairs Annual Report 1975*, Parl Paper No 142 (1976) at 5.

7.6.3.3 Non-Parliamentary Papers

> Austl, | jurisdiction, | issuing body, | *title* | (nature of paper) | by author(s) | (publication information) | pinpoint.

> Austl, Commonwealth, Royal Commission into Aboriginal Deaths in Custody, *Report of the Inquiry into the Death of Stanley John Gollan* by Commissioner Elliott Johnston (Canberra: Australian Government Publishing Service, 1990) at 31.
> Austl, Commonwealth, Law Reform Commission, *Annual Report 1998* (Report No 49) (Canberra: Australian Government Publishing Service, 1988).

7.6.3.4 Ministerial Documents

> Author, | jurisdiction, | *title*, | document service, | number | (date) | pinpoint.

If additional information is required to identify the jurisdiction as within Australia, include Austl in parentheses following the jurisdiction named and before the comma preceding the title.

Paul Keating, Commonwealth (Austl), *Opening of the Global Cultural Diversity Conference*, Ministerial Document Service, No 172/94-95 (27 April 1995) at 5977.

7.7   NEW ZEALAND

7.7.1   Legislation

Title | (NZ), | year/number, | volume RS | first page.

This section applies to statutes and delegated legislation (regulations). Cite the act's official short title in italics. Include the year of act as part of the title. Place the abbreviation of the jurisdiction after the title. Provide the volume number followed by **RS** (for Reprint Series) if available.

Statute:

Abolition of the Death Penalty Act 1989 (NZ), 1989/119, 41 RS 1.

Delegated legislation:

High Court Amendment Rules (No 2) 1987 (NZ), 1987/169, 40 RS 904.

For delegated legislation, include the Gazette year and the Gazette page where available.

Ticketing of Meat Notice 1979 (NZ), Gazette 1979, 2030.

7.7.2   Jurisprudence

7.7.2.1 *General Form*

Follow the same format as for Canadian jurisprudence, except for the year, which is placed in square brackets (see section 3).

R v Clarke, [2005] NZSC 60.
Pfizer v Commissioner of Patents, [2005] 1 NZLR 362 (HC).

7.7.2.2 *Neutral Citation*

The Supreme Court of New Zealand officially adopted the use of neutral citation for judgments rendered in 2005 and after. Neutral citation in New Zealand follows the same format as Canadian neutral citation (see section 3.5) except that the year is placed in square brackets.

7.7.2.3 *Reporter*

7.7.2.3.1 Law Reports

Law Reports are divided into series. **Reference is not made to the *Law Reports* but rather to the series**.

There is no separate reporter for the **Judicial Committee of the Privy Council** (post-1932), the **Court of Appeal**, or the **High Court**. Include abbreviations **PC**, **CA**, or **HC** at the end of each citation to a case heard in that court. See **Appendix C-2** for the abbrevations of the series for the *Law Reports*.

7.7.2.4 Court

See **Appendix B-2** for the abbreviations of courts in New Zealand. Note that the *Supreme Court Act 2003* established the Supreme Court of New Zealand and abolished appeals from New Zealand to the Privy Council.

7.7.3 Government Documents

Indicate NZ at the beginning of the citation.

7.7.3.1 Debates

> NZ, | *Hansard*, | stage: | subject | (question number) | date | (speaker)

Hansard provides the type of stage: **Questions to Ministers, Debate-General, Report of [a named] Committee** or **Miscellaneous**. Indicate the title of the debate as the subject (e.g., **Labour, Associate Minister-Accountability**). If the stage and the subject are the same, do not repeat the information.

> NZ, *Hansard*, Questions To Ministers: Biosecurity Risk-Motor Vehicle and Equipment Imports (No 3) 1 March 2000 (Ian Ewen-Street).

7.7.3.2 Parliamentary Papers

> NZ, | "title", | date, | session | (chair) | shoulder number.

Do not add a space between the prefix of the shoulder and the actual number.

> NZ, "Report of the Government Administration Committee, Inquiry into New Zealand's Adoption Laws", August 2001, 46th Parliament (Dianne Yates, Chair).
> NZ, "Report of the Game Bird Habitat Trust Board for the year ended 31 August 1999", February 2000, C22.

7.8 SOUTH AFRICA

7.8.1 Legislation

If the jurisdiction is not obvious from the title, include (S Afr) after the title.

7.8.1.1 Statutes

> *Title* | (S Afr), | number | of year, | pinpoint.

> *Constitution of the Republic of South Africa, 1996*, No 108 of 1996.
> *Consumer Protection Act* (S Afr), No 68 of 2008, s 33.

7.8.1.2 Amendments and Repeals

For further information, see section 2.1.11.

> *Constitution of the Republic of South Africa, 1996*, No. 108 of 1996 as amended by *Constitution of the Republic of South Africa Amendment Act*, No. 3 of 1999.

7.8.1.2 Bills

Number, | *title* | (S Afr), | session, | parliament, | year, | pinpoint.

> B30-2005, *Precious Metals Bill* (S Afr), 3d sess, 3d Parl, 2005.
> B26-2005, *Nursing Bill* (S Afr), 3d sess, 3d Parl 2005, s 17.

7.8.2 Jurisprudence

Style of cause, | main citation | pinpoint | parallel citation | (jurisdiction | court).

Recent South African case law is accessible on the free online database **SAFLII**. Since no specific identifier is provided for SAFLII, include the neutral citation as main citation if possible. Follow the same format as for Canadian jurisprudence, except for the year, which is placed in square brackets (see section 3).

To refer to print versions, cite to the ***South African Law Reports*** or to the ***Butterworths Constitutional Law Reports*** if possible. For abbreviations of reporters, see **Appendix C-2**. If it is not obvious from the rest of the citation, provide the jurisdiction and the court in parentheses. For South African court abbreviations, see **Appendix B-2**.

> *Messina Associated Carriers v Kleinhaus*, [2001] ZASCA 46 at para 10, [2001] 3 S Afr LR 868.

7.8.3 Government Documents

7.8.3.1 Debates

S Afr, | *Hansard,* | House, | date | pinpoint | (speaker).

> S Afr, *Hansard*, National Assembly, 9 February 2009 at 1 (MJ Ellis).

7.8.3.2 Reports, Discussion Papers, and Issue Papers

Title, | Commission, | Project number | (date) | pinpoint.

Write the name of the commission if it is not included in the title of the report.

Truth and Reconciliation Commission of South Africa Report (29 October 1998) at ch 1, para 91.

Report on Trafficking in Persons, South African Law Reform Commission, Project No 131 (August 2008) at 23.

7.9 EUROPEAN UNION

7.9.1 Regulations, Directives, Decisions, Information, and Notices

European Union regulations, directives, decisions, information, notices, and other documents are published in the ***Official Journal of the European Union*** (OJ). The title replaced the *Official Journal of the European Communities* as of 1 February 2003.

The OJ is published every working day in every official language. It consists of two related series (the L series for **legislation** and the C series for **information and notices**) and a supplement (the S series for **public tenders**, which is available only in electronic format as of 1 July 1998).

Legislation from the European Communities includes instruments referred to as regulations, directives, and decisions. They are published in the L series (legislation) of the *Official Journal of the European Union*.

EC, | *title*, | [year of journal] | OJ, | series | issue number/first page | pinpoint.

Write **EC** for European Community and provide the full title of the instrument in italics. The instrument number is included in the title. The **number in directives and decisions** consists of the year and a sequential number (e.g., **98/85** or **2004/29**). To cite regulations, write the sequential number first, followed by the year (e.g., **2514/98**).

To refer to the *Official Journal of the European Union*, include **OJ**, followed by the series, the issue number, and the first page of the instrument, separated by a slash (e.g., **L 15/45**).

Regulations:

EC, *Commission Regulation (EC) 218/2005 of 10 February 2005 opening and providing for the administration of an autonomous tariff quota for garlic from 1 January 2005,* [2005] OJ, L 39/5 at 6.

Directives:

EC, *Commission Directive 2004/29/EC of 4 March 2004 on determining the characteristics and minimum conditions for inspecting vine varieties,* [2004] OJ, L 71/22.

Decisions:

EC, *Commission Decision 98/85/EC of 16 January 1998 concerning certain protective measures with regard to live birds coming from, or originating in Hong Kong and China,* [1998] OJ, L 15/45 at 45.

Information and notices:

> EC, *Explanatory note concerning Annex III of the EU-Mexico Agreement (Decision 2/2000 of the EU-Mexico Joint Council)*, [2004] OJ, C 40/2.

7.9.2   Jurisprudence

> *Style of cause*, | case number, | [year of reporter] | reporter | first page | pinpoint.

Write the style of cause. Abbreviate the names of institutions (e.g., **Council** rather than Council of the European Communities). Write the case number. **C-** indicates a decision of the **Court of Justice of the European Communities**, also known as the European Court of Justice (ECJ). **T-** indicates a decision of the **European Court of First Instance** (CFI).

Cite the reporter and indicate the first page of the case. Decisions of the ECJ and the CFI are published in the Courts' official reporter *Reports of Cases before the Court of Justice and the Court of First Instance*. Cite it as the ***European Court Reports*** (**ECR**). Precede page numbers by **I-** for **ECJ decisions** and by **II-** for **CFI decisions**.

Court of Justice of the European Communities:

> *Commission v Luxembourg*, C-26/99, [1999] ECR I-8987 at I-8995.

European Court of First Instance:

> *Kesko v Commission*, T-22/97, [1999] ECR II-3775 at II-3822.

7.9.3   Debates of the European Parliament

> EC, | *date of sitting or title*, | [year] | OJ, | Annex and issue number/first page | pinpoint.

The debates of the European Parliament can be found in the Annex to the *Official Journal of the European Union* (OJ). Write **EC** and provide the title of the document or the date of the sitting. Provide the year the sitting was reported in brackets, followed by **OJ**, then **Annex**, the issue number, and the first page. A slash separates the issue number from the first page (e.g., **4-539/144**).

> EC, *Sitting of Wednesday, 5 May 1999*, [1999] OJ, Annex 4-539/144 at 152.

7.10   OTHER LEGAL TRADITIONS

7.10.1   Roman Law

Refer to the **traditional divisions** of the work (generally book, title, section), not to the page number of the particular edition or translation. There are no spaces between the numbers of the different divisions. Use Arabic numerals (e.g., **1, 2, 3**) separated by periods to indicate the divisions, regardless of the usage of the edition or translation used.

The abbreviation **pr** means "*principium*" or "beginning" and refers to the unnumbered material before the first section of a title. Indicate the particular edition or translation used in parentheses at the end of the citation.

For **Justinian's** *Digest*, indicate the author of the passage in question parenthetically after the citation.

Collection	Abbreviation	Example
Laws of the Twelve Tables	XII Tab	XII Tab 8.2
Institutes of Gaius	G	G 3.220
Code of Theodosius	Cod Th	Cod Th 8.14.1
Institutes of Justinian	Inst	Inst 4.4 pr (translated by Birks & McLeod)
Digest of Justinian	Dig	Dig 47.10.1 (Ulpian)
Codex of Justinian	Cod	Cod 6.42.16
Novels	Nov	Nov 22.3

7.10.2   Canon Law

Refer to the **traditional divisions** of the work, not the page number of the particular edition or translation. Use Arabic numerals (e.g., **1, 2, 3**) to indicate the divisions, regardless of the usage of the edition or translation. Indicate the particular edition or translation used in parentheses at the end of the citation.

Collection	Abbreviation	Example
Decretum of Gratian	–	**Part 1**: D 50 c 11 **Part 2**: C 30 q 4 c 5 **Part 2**, *De poenitentia*: De poen D 1 c 75 **Part 3**: De cons D 1 c 5
Decretals of Gregory IX (*Liber extra*)	X	X 5.38.12
Decretals of Boniface VIII (*Liber sextus*)	VI	VI 5.2.16
Constitutions of Clement V (*Clementinae*)	Clem	Clem 3.7.2

Extravagants of John XXII (*Extravagantes Johannis XXII*)	Extrav Jo XII	Extrav Jo XII 14.2
Common Extravagants (*Extravagantes communes*)	Extrav Com	Extrav Com 3.2.9
Codex Iuris Canonici (1917)	1917 Code	1917 Code c 88, § 2
Codex Iuris Canonici (1983)	1983 Code	1983 Code c 221, § 1

7.10.3   Talmudic Law

Talmud, | *tractate*, | pinpoint.

Indicate Babylonian or Jerusalem Talmud. Italicize the tractate. When using the Babylonian Talmud, refer to the **traditional pagination** (Vilna edition) and not to the page number given by the publisher or translator. When using a different edition (e.g. Warsaw), indicate the edition in parentheses following the pinpoint.

When referring to a **particular edition or translation**, indicate the publication information in parentheses following the pinpoint (see sections 6.2.2.4.1 and 6.2.7 to 6.2.9). When providing a translation, insert [translated by author] after the initial citation and pinpoint (see section 6.2.2.4.2).

Use Arabic numerals (e.g., **1, 2, 3**) to indicate the leaf number and **a** or **b** to indicate the page. Pinpoint the **Jerusalem Talmud** to the Mishna (**Mish**) and the Halacha (**Hal**) and not to the page, as there are various editions with different pagination. Pinpoint to a page if the full publication information in parentheses can be provided, as set out in sections 6.2.7 to 6.2.9.

Babylonian Talmud, *Bava Metzia*, 11b.
Jerusalem Talmud, *Sanhedrin*, Mish 1 Hal 5.

INDEX

MOT DU RÉDACTEUR

Depuis plus de trente ans, la Revue de droit de McGill contribue au développement de la référence juridique grâce à son *Manuel*. Nous avons toujours présenté notre ouvrage comme un repère pancanadien en la matière. Le terme « uniform » dans la version anglaise du titre suscite bien des débats et ne constitue pas de l'indifférence de notre part. Nous avons établi un ouvrage qui tient compte de la réalité canadienne comme aucun autre manuel de référence juridique ne l'a fait. Nous nous battons constamment pour préserver son bilinguisme et, à chaque édition, nous nous appliquons à établir des normes qui tiennent en compte les particularités des différentes cultures et des différents types de sources juridiques du Canada.

Les deux principaux objectifs qui nous ont guidés dans la préparation de cette neuvième édition sont la concision et l'accessibilité. Si ces deux caractéristiques vont généralement de pair, nous avons parfois dû prendre des décisions déchirantes afin de les concilier. Nous avons conservé au nom de l'accessibilité de nombreuses précisions que la concision nous commandait de retrancher. Ce fut un travail de moine que de déterminer les éléments à conserver et à retirer, mais chacune des décisions que nous avons prises ont été longuement étudiées et débattues avec des experts. Nous avons notamment convenu d'éliminer plusieurs tableaux d'exemples et de supprimer les listes à puces. Un manuel de référence juridique ne doit pas ressembler à un protocole scientifique, mais doit plutôt contenir des règles et des principes généraux et cohérents afin que toutes les sources, aussi singulières soient-elles, puissent être citées.

Si les sources de droit civil et de *common law* ont toujours été représentées de manière équilibrée dans notre *Manuel*, les sources de droit autochtone ont généralement été négligées. Dans la présente édition, nous avons inclus des règles pour faire référence à des documents constitutionnels autochtones et à des documents intergouvernementaux (traités et accords de revendications territoriales), sans compter des nouveaux exemples tirés du droit autochtone disséminés dans les sections existantes. Cependant, afin d'augmenter la quantité de sources autochtones traitées dans la prochaine édition du *Manuel*, nous prévoyons mener des consultations avec plusieurs experts dans le domaine.

Dans la rédaction de cet ouvrage, nous avons consacré énormément d'efforts à l'accessibilité des normes de référence pour les sources électroniques. Le Manuel étant publié suivant une base quadriennale, il est essentiel que chaque édition soit constamment à jour en matière de références en ligne. Si les documents électroniques sont souvent éphémères et peu formels, ils sont néanmoins très accessibles et de plus en plus utilisés par les juristes canadiens. Il existe maintenant de nombreux systèmes d'archivage de liens internet, qui résolvent à la fois le problème de la rupture des liens et celui des adresses interminables. À l'instar du

Bluebook, le *Manuel* encourage désormais la référence à des liens permanents chaque fois qu'un site internet doit être identifié.

Notre reconfiguration de la hiérarchie des sources jurisprudentielles confère également aux bases de données en ligne un statut plus important. Il ne sert à rien de nier qu'un grand nombre d'utilisateurs du *Manuel* n'ont pas recours aux versions imprimées des sources jurisprudentielles; ils consultent les décisions sur CanLII, LexisNexis ou Westlaw, puis choisissent les recueils imprimés parmi ceux énumérés sur ces services électroniques pour les inclure dans leur référence. Selon cette neuvième édition, les versions trouvées sur les bases de données en ligne ont le même statut que tout recueil non officiel. En effet, c'eût été aberrant de décourager l'utilisation d'un service comme CanLII, qui est à la fois gratuit, fiable et accessible.

Grèce aux nombreux changements orchestrés dans cette édition, nous avons bon espoir que le Manuel continuera de figurer à l'avant-plan en matière de référence juridique. En décembre 2017, la Société québécoise d'information juridique (SOQUIJ) a mis sur pied un outil électronique d'aide à la citation qui permet d'inscrire automatiquement les références juridiques conformément aux normes du *Manuel*. En avril 2018, Hein Online a également instauré un système qui fournit les références juridiques suivant les normes du *Manuel* pour tous les documents dans sa base de données. Ce sont là deux exemples qui démontrent la portée du *Manuel* et sa présence dans l'univers de la recherche juridique en ligne.

Lorsque nous avons entamé cette neuvième édition, nous avions une pléthore de projets ambitieux à l'esprit et avons établi de longues listes d'améliorations à apporter. L'appui de nombreux experts a été déterminant dans l'avancement de ces nombreux projets. Nous avons donc inclus pour la première fois une liste de remerciements afin de rendre compte de l'apport inestimable de chacun des experts qui ont rendu la présente édition possible. Il convient aussi de souligner la contribution de la rédactrice du *Manuel* de référence, (pour l'année 2018-2019), Barhilla Jesse-Buadoo, qui a finalisé le présent ouvrage.

Il est impensable d'atteindre la perfection dans une entreprise qui évolue constamment et c'est pourquoi d'autres éditions suivront. L'essentiel est de pouvoir se maintenir à jour sur une base régulière et d'améliorer certaines sections à chaque édition. Nous avons grandement besoin des opinions des membres de la communauté juridique et de leur appui pour parfaire notre *Manuel*. Par conséquent, nous vous prions de nous faire parvenir vos commentaires et suggestions à l'adresse suivante :

Revue de droit de McGill
3644 Rue Peel
Montréal, Québec H3A 1W9
Canada

Tel : 514-398-7397
Fax : 514-398-7360
http://lawjournal.mcgill.ca
journal.law@mcgill.ca

Nicolas Labbé-Corbin
Rédacteur du Manuel de référence, 2017-2018

Préface par l'honorable Ian Binnie

Cette neuviéme édition du *Manuel canadien de la référence juridique* constitue la mise à jour tant attendue d'un ouvrage à la fois pratique et indispensable. Les avocats et les juges ont régulièrement recours à des sources antérieures afin d'asseoir la légitimité de leurs points de vue. Cette observation va certes de soi en *common law*, mais la jurisprudence québécoise regorge également de références à des décisions antérieures, rendues au regard du *Code civil* ou de tout autre document législatif. L'invocation de précédents et d'autres sources notables rend compte de la nécessité de références exactes. On ne peut attendre du lecteur qu'il consulte des sources qu'il ne peut identifier efficacement.

Effectuer une recherche à la fois englobante et minutieuse, qui tienne compte du caractére plurijuridique et bilingue du droit canadien, constitue une tâche laborieuse. Si l'opération semble simple à première vue, la référence juridique se caractérise par ses fréquents revirements. Il existe de nombreux exemples de conventions qui ont changé au fil du temps. Si le présent *Manuel* explique en détail l'utilisation de formules telles que supra, la Cour suprême elle-même a décidé d'exclure ce mot de ses recueils. L'usage d'une langue morte n'est apparemment plus approprié de nos jours. De la même maniére, alors que la Cour suprême s'abstenait fermement d'utiliser des notes de bas de page même lorsqu'un supplément d'information était à-propos, des notes de bas de page apparaissent désormais de maniére relativement fréquente dans ses décisions, bien que leur utilisation varie énormément en fonction des juges. La personnalisation d'un jugement est admissible. Ainsi, plusieurs juges d'appel évitent d'utiliser l'expression « tribunal inférieur », car un tel langage élitiste présuppose une supériorité individuelle, qui est complétement inappropriée. Mais ce sont peut-être là des préoccupations qui n'ont pas leur place dans le *Manuel*.

Les rédacteurs ont parfaitement raison d'encourager la référence aux recueils officiels (par ex. les *Recueils de la Cour suprême*) lorsqu'ils sont disponibles plutôt qu'aux recueils privés (par ex. les *Dominion Law Reports*), car cela facilite l'accés à l'information juridique. En outre, la référence à des sources électroniques pose parfois probléme, et ce, pour diverses raisons. Par exemple, on ne peut pas indiquer le numéro de paragraphe lorsqu'on se réfère à la version électronique des RCS pour les décisions rendues dans les années 1990 ou antérieurement parce qu'à cette époque les paragraphes des décisions de la Cour suprême n'étaient pas numérotés. Par conséquent, la référence précise se faisait à la page et non au paragraphe. Toutefois, le *Manuel*, dans son souci du détail et de la précision, prescrit que la référence précise doit être faite au paragraphe lorsque cela est possible. De surcroît, dans le cas des recueils fédéraux officiels, deux versions, dans l'une et l'autre des langues officielles, se tiennent côte à côte. Chacune des versions a la même autorité et plusieurs juges se référent à la deuxiéme version lorsque la première est ambiguë. C'est pour cette raison qu'une citation qui fait uniquement référence aux DLR, aux WWR ou à une version électronique d'une décision est fortement déconseillée selon le *Manuel* quand une version bilingue est autrement disponible.

Le présent ouvrage est grandement utile, car, au-delà des notions de base comme l'utilisation des parenthèses ou des crochets, les règles alambiquées qui régissent la référence juridique ne nous sont pas toutes familiéres. Nous ne pouvons mettre en pratique ce que nous ignorons. Plusieurs ignorent la marche à suivre pour faire référence à un « tweet », mais, dans cet ouvrage, le juriste averti peut trouver la réponse à cette question à la section 6.19.5.1.2. Un autre exemple est la gradation entre les différentes formules introductives, telles que « voir », « voir notamment », « voir par ex » ou « voir aussi », qui sont obscures pour la majorité des juristes qui n'ont pas pris part à la rédaction de ce *Manuel*, mais qui deviennent claires à la simple lecture de la section 1.3.6. À présent, grâce aux règles prévues dans les pages qui suivent, la communauté juridique est plus à même de contribuer à l'établissement de standards uniformes.

La Faculté de droit de l'Université McGill est un environnement propice au développement d'un ouvrage bilingue et plurijuridique, car elle s'intéresse aux systémes canadiens de droit civil, de *common law* et de droit autochtone. De plus, cette neuviéme édition du *Manuel* montre que la Faculté est nantie de rédacteurs industrieux et innovateurs. Nous leur sommes donc grandement redevables.

L'honorable Ian Binnie CC QC
Ancien juge à la Cour suprême du Canada
Mai 2018

Préface par l'honorable Patrick Healy

C'est en 1981 que le Comité de rédaction de la Revue de droit de McGill a envisagé pour la première fois de produire un manuel de référence juridique. En 1986, la première édition a été publiée, puis d'autres éditions se sont succédées tous les quatre ans. Chaque édition, y compris cette neuvième édition, a comporté une multitude de changements et d'améliorations. La quantité impressionnante de publications et d'institutions qui se servent du *Manuel* rend compte de sa qualité. Je réfère ici à la majorité des revues de droit canadiennes, à certains tribunaux et à bien d'autres institutions.

La publication du *Manuel* a indiscutablement comblé un besoin au Canada. Autrefois, les références juridiques souffraient de nombreuses incohérences, tant dans leur forme que dans leur contenu. Il était possible d'en relever entre différentes publications, mais aussi entre plusieurs textes d'un même ouvrage, voire au sein d'un même texte. Plusieurs ouvrages traitaient spécifiquement des méthodes de recherche juridique et certains d'entre eux proposaient des normes de référence juridique. Cependant, aucun consensus n'existait quant à la forme ou aux principes à adopter. Aujourd'hui, les chercheurs, les professionnels et les tribunaux ont à leur portée différents styles et modèles de référence juridique. Les normes demeurent donc hétérogènes et c'est pour cette raison qu'il est complètement insensé de prétendre qu'un ensemble de règles de référence fait autorité, encore moins qu'il est unanime. Toutefois, les règles énoncées par la Revue de droit de McGill dans son *Manuel* ont véritablement une portée inégalée. L'adoption étendue du Manuel assure une approche plus cohérente et disciplinée en matière de référence juridique au Canada.

Un manuel de référence est une forme particulière de manuel de rédaction, mais il ne s'intéresse pas à la qualité esthétique du texte. Ses objectifs sont plutôt de promouvoir la communication efficace de renseignements, généralement sous forme de références techniques, qui étayent ou expliquent le texte correspondant. Les références sont pratiquement au texte ce qu'est la preuve à la thèse. La référence juridique est utile, voire indispensable, à la communication efficace, autant que la preuve est essentielle à la thèse qu'elle étaye. Toute référence doit être perçue comme une partie intégrante du texte. Elle est incluse uniquement si elle y mérite une place et si elle assure que le message du texte pris dans son ensemble est véhiculé.

Si la concision est une vertu, les références doivent néanmoins être complètes, exactes et cohérentes. Ces caractéristiques générales ne suggèrent toutefois pas qu'il existe un style ou une pratique uniforme en matière de référence. Cette réalité est démontrée non seulement par l'hétérogénéité des modèles au Canada, mais aussi par les débats tapageurs à propos de la légitimité des différents manuels aux

États-Unis.[1] Dans le plus optimiste des cas, les manuels de référence fournissent des recommandations et des conventions assurant une pratique constante, mais qui ne peut prétendre à l'autorité du dogme orthodoxe.

Cette neuvième édition témoigne d'un effort soutenu afin de maintenir la rigueur et la légitimité du *Manuel*. En plus de son caractère bilingue, une attention toute particulière a été accordée à la qualité du français et aux enjeux de référence juridique dans les différents ressorts nationaux, continentaux et internationaux. Les rédacteurs cherchent constamment à simplifier le format des références, par exemple en retranchant la majorité des points, virgules et autres complications esthétiques, mais il serait encore possible de simplifier davantage. La plus récente amélioration du *Manuel* reste probablement la prise en considération des sources disponibles en ligne ou via d'autres médias électroniques. Vraisemblablement, il est désormais possible d'accéder au répertoire de plusieurs bibliothèques nationales et à des sources juridiques datant parfois de plusieurs siècles tout en restant confortablement assis derrière son écran.

Le passage de la forme imprimée aux autres supports médiatiques est radical et surpasse en magnitude l'apparition non moins révolutionnaire de l'imprimerie elle-même. Il sied de se demander si ce virage mènera également à des changements pratiques radicaux en matière de référence. Par exemple, le *Manuel* encourage toujours l'utilisation de références parallèles pour la jurisprudence et même pour d'autres sources d'information. Si le recours aux versions imprimées n'est visiblement pas un vestige du passé, la décision de privilégier les références neutres au détriment des références parallèles mérite notre attention. Nombreux sont ceux qui regrettent les heures écoulées dans les bâtiments souvent anciens que sont les bibliothèques en présence des artéfacts poussiéreux que sont les livres. En dépit de cette nostalgie, l'avancée irrésistible des technologies de l'information éclipse le plaisir saugrenu que certains éprouvent à manipuler des liasses de feuilles reliées. Les pratiques courantes de recherche et de rédaction tendent à atténuer la portée des sources en format papier et il est même probable que, dans un proche avenir, seules les références électroniques soient requises et que les références parallèles disparaissent complètement. Un tel changement assurerait davantage de simplicité, de concision et d'accessibilité.

D'une édition à l'autre, les rédacteurs de la Revue de droit de McGill s'assurent que le *Manuel canadien de la référence juridique* garde le rythme malgré les changements étourdissants qui bouleversent le monde de l'information. Ils veillent également à ce que le *Manuel* réponde à la demande en matière de règles de

---

1 Voir Susie Salmon, « Shedding the Uniform: Beyond a 'Uniform System of Citation' to a More Efficient Fit » (2016) 99:3 Marq L Rev 763; Fred R Shapiro et Julie Graves Krishnaswami, « The Secret History of the Bluebook » (2016) 100:4 Minn L Rev 1563; Richard A Posner, « The *Bluebook* Blues » (2011) 120:4 Yale LJ 850; Richard A Posner, « Goodbye to the Bluebook » (1986) 53:4 U Chicago L Rev 1343.

référence. La communauté juridique leur doit de sincères félicitations pour cette neuvième édition, qui établit des normes à la fois utiles et fort à-propos.

L'honorable Patrick Healy
Cour d'appel du Québec
Mai 2018

Préface par Me Daniel Boyer

La référence fait partie intégrante de tout écrit juridique. Elle guide le lecteur, tout comme l'auteur a lui-même été guidé, vers la bonne source, qu'elle soit loi, jurisprudence ou doctrine. Tout bon juriste se doit donc d'acquérir une maîtrise sans faille de l'emploi de la référence. Cette neuvième édition du *Manuel canadien de la référence juridique* lui en donne la clef, en proposant une marche à suivre conviviale et des standards flexibles afin de décrypter aisément l'univers de la référence juridique.

Une référence n'est ni vraie ni fausse au sens juridique, mais elle peut certes être exacte ou inexacte, selon qu'elle remplit ou non sa fonction d'indiquer précisément au lecteur la source juridique pertinente. Une référence inexacte ou incomplète risque de susciter exaspération et contrariété chez le lecteur, surtout lorsqu'elle l'entraîne sur une mauvaise piste.

La référence juridique ne relève pas de l'*elegantia juris* et demeure essentiellement un exercice de forme. Si sa cohérence est garante de références claires, son homogénéité ne l'est pas; ainsi le recours aux citations commande l'exercice constant de jugement critique. Dans son ouvrage à la fois remarquable et spirituel portant sur les éléments primordiaux de la rédaction scientifique, l'écrivain et sémioticien italien Umberto Eco synthétise ainsi l'objectif et la fonction de la référence juridique :

> Ce sont des normes très importantes et vous devez avoir la patience de vous familiariser avec elles. Vous verrez que ce sont surtout des normes *fonctionnelles* qui doivent vous permettre, ainsi qu'à vos lecteurs, d'identifier le livre dont il est question. Mais ce sont aussi des normes que l'on pourrait appeler d'*étiquette universitaire* : l'auteur qui les respecte montre qu'il est familier de sa discipline, les transgresser trahit le *parvenu* scientifique et cela peut parfois jeter une ombre de discrédit sur un travail par ailleurs bien fait. Ce qui ne signifie pas que ces normes d'étiquettes soient dépourvues d'importance réelle ou qu'elles ne soient que des tracasseries formalistes. [. . .] Mais avant de dire qu'il n'est pas nécessaire de mettre le titre d'un livre en italique, il faut *savoir* qu'on le met italique et pourquoi[1].

Les normes de référence juridique emportent leur lot de critiques, qu'elles soient de nature pragmatique, académique, ou même, conceptuelle. Les débats quant à la forme, au contenu et à l'accessibilité des manuels de référence juridique ne sont pas près d'être clos. Malgré tout, des développements, voire des progrès, surgissent régulièrement, et ce, grâce à un consensus sur le « pourquoi » des règles de référence, pour reprendre le terme d'Eco. Les perpétuelles transformations de forme et de contenu que subissent les sources juridiques et, bien entendu, la place de plus en plus importante de l'intertextualité au sein de l'écriture juridique moderne constituent les raisons d'être de ce manuel.

---

[1] Umberto Eco, *Comment écrire sa thèse*, traduit par Laurent Cantagrel, Paris, Flammarion, 2016 aux pp 114-115.

La majorité, si ce n'est la totalité, des règles de référence juridique nécessitent l'utilisation d'abréviations et quiconque aspire à devenir un juriste à part entière se doit de les apprivoiser. Tout comme un fan de baseball sait que la lettre « K » désigne un retrait au bâton et un fan de Mozart sait que « K » représente le catalogue *Köchel*, tout juriste qui se respecte sait que « KB » signifie *King's Bench*. Les abréviations juridiques nous accompagnent depuis l'époque de l'empereur Justinien, qui malgré son rôle remarquable dans le processus de codification du droit romain, a pitoyablement failli à sa parole en n'éliminant pas les abréviations juridiques, tel qu'il l'avait ordonné dans le *Corpus Juris Civilis* : « nous vous défendons d'écrire les mots en abrégé (*siglorum captiones & compendiosa aenigmata*) [...] vous ne vous servirez pas de chiffres ou notes abrégées » [2]. L'empereur est allé jusqu'à prévoir des mesures de répression contre ceux qui « entreprendront par la suite d'écrire nos lois par notes (*siglorum obscuritates*). » [3] Cependant, quiconque prend le temps de feuilleter un ouvrage ou une revue de droit constate que Justinien n'a manifestement pas su juguler l'emploi d'abréviations dans les documents juridiques. Grâce aux règles et aux exemples du *Manuel*, tant les auteurs que les lecteurs pourront déchiffrer et employer ces abréviations de manière efficace.

Les normes de référence juridique reflètent les particularités des différents ressorts. En l'absence d'une théorie unificatrice, ces normes demeurent essentiellement hétéroclites. Comme on peut le constater à la section 7.5.2 du *Manuel*, pour citer une décision française, il faut tout d'abord inclure le nom du tribunal et le nom de la ville, suivis de la date précise. Généralement, on omet les noms des parties, ce qui est bien s«r contraire à la pratique établie en *common law*. Que dirait un sémioticien du droit de cette insistance européenne sur le tribunal qui rend la décision alors que la *common law* met plutôt l'accent sur les noms des parties, et ce, quand le principe même du *stare decisis* repose sûr les notions de tribunal et de date?

Bien qu'impliqué dans l'élaboration du *Manuel* depuis sa première parution dans les années 1980, je n'ai jamais succombé au fétichisme de la référence juridique. Je suis heureux de constater le périple décidé du *Manuel* depuis un formalisme intempérant, luttant sans relâche contre la référence floue, jusqu'è son ouverture à l'innovation et à l'accessibilité du savoir juridique.

Me Daniel Boyer
Conseiller académique pour le
Manuel canadien de la référence juridique
Mai 2018

---

[2] Cod 1.17.1 s 13 (P-A Tissot, dir, *Les douze livres du Code de l'empereur Justinien: Code et novelles de Justinien; novelles de l'empereur Léon, fragmens de Gaÿus, d'Ulpien et de Paul traduction faite sur l'édition d'Elzévirs*, Metz, Behmer, 1806-1810).

[3] *Ibid*, 1.17.3 s 22.

TABLE DES MATIÈRES

F — 6 Doctrine et autres documents F-85

1 RÈGLES FONDAMENTALES

Les règles établies dans ce *Manuel* s'appliquent seulement aux **notes de bas de page**, aux **références dans le texte** et aux **bibliographies**. Elles ne s'appliquent pas au corps du texte ou aux notes textuelles (par ex. aux phrases et aux clauses qui existent en dehors des limites de la citation); un guide de style devrait alors être utilisé. Utiliser les règles de la partie française pour écrire en français, et ce, même lorsque la source originale est dans une autre langue. N'utiliser les règles de la partie anglaise que pour écrire en anglais. Si la règle impose des parenthèses ( ), ne pas les remplacer par des crochets [ ] et vice-versa. Les caractères gras en couleur de ce *Manuel* mettent les exemples en évidence.

1.1 BIBLIOGRAPHIES

Diviser les bibliographies et les listes d'autorités de textes juridiques en sections (par ex. **législation, jurisprudence et doctrine**). Si certaines sources ne correspondent pas à l'une de ces catégories, ajouter une section résiduelle (**autres sources**). Il peut être utile de diviser la section contenant la doctrine en sous-sections (par ex. **monographies, périodiques** et **ouvrages collectifs**). Il est également possible de diviser les sources entre **sources internes** et **sources étrangères**.

Dans chaque section, classer les sources par **ordre alphabétique**. Classer la législation selon le titre de la loi, la jurisprudence selon l'intitulé et la doctrine selon le nom de famille de l'auteur. Pour la doctrine contenue dans une bibliographie, présenter le **nom de famille de l'auteur en premier** pour faciliter le classement par ordre alphabétique. Attention : l'ordre du prénom et du nom de famille change selon les traditions culturelles (avant, après ou entre les prénoms). Si le nom de famille apparaît en premier sur l'édition, omettre la virgule après ce nom (par ex. **Wang Sheng Chang**). Si le prénom apparaît en premier, mettre une virgule après le nom (par ex. **Smith, Graham JH**). Afin d'assurer l'exactitude de la forme et de respecter la source originale, présenter le nom de l'auteur tel qu'il apparaît sur la page titre de la publication, en incluant les initiales, et ce, même si le nom d'un même auteur est différent dans une référence ultérieure.

S'il y a une référence avec plus d'un auteur, écrire le prénom avant le nom de famille pour tous les auteurs excepté le premier (par ex. **Baudouin, Jean-Louis et Pierre-Gabriel Jobin**). S'il y a une référence à une œuvre par un seul auteur, ainsi qu'une œuvre par cet auteur et d'autres auteurs (par ex. **Baudouin et Baudouin et Jobin**), écrire celle avec un seul auteur d'abord. Chaque référence devrait avoir un **retrait** de $^1/_4$ de pouce ou 0,63 cm (mettre en retrait toutes les lignes sauf la première ligne).

Suivre les règles des notes de bas de page du *Manuel* pour tout élément d'une référence à la doctrine (excepté pour l'ordre des noms de l'auteur ou du directeur d'un ouvrage collectif).

LÉGISLATION

Barristers and Solicitors Act, RSBC 1979, c 26.

Loi antiterroriste, LC 2001, c 41.

Loi de 1991 sur les sages-femmes, LO 1991, c 31.

Loi sur les sociétés de fiducie et les sociétés d'épargne, RLRQ c S-29.01.

JURISPRUDENCE

Delgamuukw c Colombie-Britannique, [1997] 3 RCS 1010, 153 DLR (4e) 193.

Kendle v Melsom, [1998] HCA 13.

Cass civ 1re, 26 juin 2001, (2001) D Jur 2593 (note V Avena-Robardet).

Létourneau c Laflèche Auto Ltée, [1986] RJQ 1956 (CS).

Nouvelle-Écosse (Workers' Compensation Board) c Martin, 2003 CSC 54.

DOCTRINE : MONOGRAPHIES

Lafond, Pierre-Claude, *Précis de droit des biens*, Montréal, Thémis, 1999.

Médina, Annie, *Abus de biens sociaux : prévention, détection, poursuite*, Paris, Dalloz, 2001.

Nadeau, Alain-Robert, *Vie privée et droits fondamentaux*, Cowansville (QC), Yvon Blais, 2000.

Tan, Cheng Han, *Matrimonial Law in Singapore and Malaysia*, Singapour, Butterworths Asia, 1994.

DOCTRINE : ARTICLES

Lamontagne, Denys-Claude, « L'imbrication du possessoire et du pétitoire », (1995) 55 R du B 661.

Lamontagne, Denys-Claude, « L'influence du droit public sur le droit immobilier », [1986] RDI 401.

Turp, Daniel, « Le droit au Québec à l'autodétermination et à l'indépendance : la loi sur la *clarté* du Canada et la loi sur les *droits fondamentaux* du Québec en collision » dans Marie-Françoise Labouz, dir, *Intégrations et identités nord-américaines : vues de Montréal*, Bruxelles, Bruylant, 2001, 137

Wang Sheng Chang, « Combination of Arbitration with Conciliation and Remittance of Awards — with Special Reference to the Asia-Oceana Region » (2002) 19 J Intl Arb 51.

1.2 RÉFÉRENCES DANS LE TEXTE : NOTE DE SERVICE ET FACTUM

La règle habituelle exige l'utilisation de notes en bas de page pour la rédaction de textes juridiques. Toutefois, dans certains types de documents, les références doivent être incluses **dans le corps même du texte**.

1.2.1 Note de service

Inclure la référence entre parenthèses immédiatement après le texte pertinent. La première fois qu'une référence apparaît, suivre les règles habituelles pour les notes de bas de page. Si la référence est répétée par la suite, créer un titre abrégé après la première référence (voir *Hill*). Si la référence n'est pas répétée, ne pas créer de titre abrégé (voir *Robitaille*).

À partir de la deuxième apparition d'une référence, utiliser uniquement le titre abrégé. Ajouter la référence précise (par ex. *Hill* **au para 195**).

> En plus des conditions pour « méfait donnant ouverture à un droit d'action » indépendamment de la violation pour laquelle on poursuit, les dommages-intérêts punitifs seront accordés lorsque la conduite du défendeur est si « malveillante, opprimante et abusive qu'elle choque le sens de dignité de la cour » (*Hill c Église de scientologie de Toronto*, [1995] 2 RCS 1130 au para 196, 184 NR 1, juge Cory [*Hill*]). Une telle conduite comprend la diffamation (*ibid*), l'omission de fournir des soins médicaux (*Robitaille v Vancouver Hockey Club Ltd*, 124 DLR (3ᵉ) 228, [1981] 3 WWR 481 (BCCA)), et exceptionnellement les comportements abusifs des compagnies d'assurance (*Whiten c Pilot Insurance Co*, 2002 CSC 18 [*Whiten*]).
>
> Puisque le premier mécanisme punitif est le droit criminel, la modération doit primer dans les recours aux dommages punitifs (*ibid* **au para 69**). Il faut aussi noter qu'il ne peut y avoir responsabilité solidaire à l'égard de dommages-intérêts punitifs, car seul le responsable de la mauvaise conduite doit être condamné à les verser (*Hill* **au para 195**).

1.2.2 Factum

Les paragraphes doivent être numérotés. Ces numéros commencent habituellement à la section « Faits ». Fournir un titre abrégé pour chaque source citée. Écrire le titre abrégé entre parenthèses immédiatement après le texte auquel la référence s'applique.

Indiquer la référence complète **à la fin du paragraphe**. Mettre en retrait les marges de gauche et de droite et utiliser une plus petite police de caractères.

Mettre les références **dans l'ordre de leur apparition dans le corps du texte**. Changer de ligne après chaque référence (ne pas mettre de point-virgule).

Écrire le titre abrégé, utilisé dans le corps du texte, en italiques et entre crochets, après la première référence complète de chaque source. Suivre les règles habituelles pour l'utilisation du *supra* (section 1.4.3). Toutefois, au lieu de se référer au numéro d'une note de bas de page, l'indicatif suivant le *supra* se réfère au numéro du paragraphe dans lequel est apparue la source pour la première fois (par ex. *Whiten*, *supra* **para 5 au para 69**). **Ne pas utiliser** *ibid* (section 1.4.2) dans un factum.

À la fin du paragraphe, inclure les références précises s'appliquant à tout le paragraphe (par ex. *Whiten c Pilot Insurance*, **2002 CSC 18 aux para 69, 101, 110**).

> 5.   En plus des conditions pour « méfait donnant ouverture à un droit d'action » indépendamment de la violation pour laquelle on poursuit, les dommages-intérêts punitifs seront accordés lorsque la conduite du défendeur est si « malveillante, opprimante et abusive qu'elle choque le sens de dignité de la cour » (*Hill*). Une telle conduite comprend la diffamation (*Hill*), l'omission de fournir des soins médicaux

(*Robitaille*), et exceptionnellement, les comportements abusifs des compagnies d'assurance (*Whiten*).

Hill c Église de scientologie de Toronto |1995| 2 RCS 1130 au para 196, 186 NR 1, juge Cory |*Hill* avec renvois aux RCS|.

Robitaille v Vancouver Hockey Club Ltd, 124 DLR (3ᵉ) 228, |1981| 3 WWR 481 (BCCA) |*Robitaille*|.

Whiten c Pilot Insurance Co, 2002 CSC 18 |*Whiten*|.

6.   Puisque le premier mécanisme punitif est le droit criminel, la modération doit primer dans les recours aux dommages punitifs (*Whiten*). Il faut aussi noter qu'il ne peut y avoir responsabilité solidaire à l'égard de dommages-intérêts punitifs, car seul le responsable de la mauvaise conduite doit être condamné à les verser (*Hill*).

Whiten, supra para 5 au para 69.

Hill, supra para 5 au para 195.

1.3 RÈGLES CONCERNANT LES NOTES DE BAS DE PAGE

Les notes en bas de page des textes juridiques sont habituellement des notes discursives ou des notes de référence. Les **notes discursives** regroupent les commentaires pertinents mais périphériques qui risquent de dévier le lecteur du sujet principal. Les **notes de référence** indiquent les sources desquelles proviennent les arguments ou les citations. Des renseignements discursifs et des renseignements de référence peuvent être combinés dans une même note.

1.3.1 La création des notes de bas de page

Créer des notes de bas de page dans les cas suivants : (1) à la première référence à la source en question, (2) à chaque référence ou allusion à un passage particulier de la source et (3) à chaque citation ultérieure tirée de la source. Fournir la référence complète dans la première référence à la source uniquement.

1.3.2 L'indication des notes de bas de page dans le texte

Indiquer les notes de bas de page par des numéros en chiffres arabes (par ex. 1, 2, 3) placés en exposant. Ne pas utiliser de chiffres romains ou de caractères tels que *, † et ‡.

De préférence, mettre le numéro de la note de bas de page à la fin d'une phrase, mais avant la ponctuation[1]. Cet ordre diffère de celui exigé pour les textes anglais, dans lesquels le numéro suit la ponctuation. Pour faire référence à un seul mot, placer le numéro de la note[2] immédiatement après le mot en question. Si le mot est suivi d'un signe de ponctuation[3], le numéro précède la ponctuation. S'il s'agit d'une citation placée « entre guillemets »[4], le numéro suit les guillemets et précède la ponctuation.

1.3.3 L'emplacement des notes de bas de page

Les notes de bas de page figurent au bas de la page, sous le texte, et se trouvent autant que possible sur la même page que le texte auquel elles correspondent. Distinguer les notes de bas de page du texte par une **plus petite police de caractères** et par une séparation du texte à l'aide d'une **ligne horizontale**.

1.3.4 La combinaison des notes de bas de page

Ne jamais mettre plus d'un numéro de note à un même endroit dans le texte. Combiner plutôt les références en une seule note de bas de page. Lorsque plusieurs références figurent dans une même note, elles sont séparées par un point-virgule et la note se termine par un point.

Si cela n'entraîne aucune confusion, il est possible de combiner les références à plusieurs documents en une note dont le numéro est placé à la fin du paragraphe. Éviter la combinaison s'il s'agit de citations provenant de sources différentes.

> [7] *Godbout c Longueuil (Ville de)*, [1997] 3 RCS 844; *Aubry c Vice-Versa*, [1998] 1 RCS 591.

1.3.5 Les références aux sources non françaises

L'écriture en français exige le respect des règles de référence françaises, quelle que soit la langue dans laquelle la source est rédigée. Conserver le titre (incluant l'usage des majuscules et de la ponctuation) dans la langue d'origine, mais pour tout autre élément de la référence, respecter les règles françaises, particulièrement en ce qui a trait à l'usage de la ponctuation.

> [1] David Kairys, dir, *The Politics of Law: A Progressive Critique*, 3ᵉ éd, New York, Basic Books, 1998 à la p 76.
> [2] *Credit Union Act*, SNS 1994, c 4.

1.3.6 Formules introductives

Les formules introductives permettent d'expliquer le lien logique entre la source à laquelle se réfère la note et l'idée énoncée dans le texte. En règle générale, il faut **mettre une formule introductive** :

> . . . le nom d'une société doit être indiqué dans les statuts constitutifs[1].
> [1] Voir *Loi canadienne sur les sociétés par actions*, LRC 1985, c C-44, art 6(1).

Il existe toutefois **deux exceptions** :

1) Lorsque la note de bas de page fait référence à une source directement citée dans le texte.

> . . . « les fruits de l'enquête qui se trouvent en la possession du substitut du procureur général n'appartiennent pas au ministère public pour qu'il s'en serve afin d'obtenir une déclaration de culpabilité, mais sont plutôt la propriété du public qui doit être utilisée de manière à s'assurer qui justice soit rendue. »[1] . . .
> [1]   *R c Stinchcombe*, [1991] 3 RCS 326 à la p 333, 1991 CanLII 45 (CSC).

2) Lorsque le titre de la source apparaît pour la première fois dans le texte et que la note de bas de page ne sert qu'à fournir les autres éléments de la référence.

> Dans *R c Stinchcombe*[1], la Cour a déterminé que . . .
>
> [1]   [1991] 3 RCS 326 à la p 333, 1991 CanLII 45 (CSC).

Chaque formule introductive se rapporte à **toutes les références de la même phrase**. Dans l'exemple ci-dessous, la formule voir se rapporte aux deux monographies citées dans la première phrase et **voir aussi** se rapporte à la dernière monographie citée.

> **Voir** Madeleine Cantin Cumyn, *L'administration du bien d'autrui*, Cowansville (QC), Yvon Blais, 2000 aux n° 24-51; Emmanuel Gaillard, *Le pouvoir en droit privé*, Paris, Economica, 1985 aux pp 150-55. **Voir aussi** Paul Roubier, *Droits subjectifs et situations juridiques*, Paris, Dalloz, 1963 aux pp 186-87.

Mettre seulement *contra* en italique. Ne pas mettre de signe de ponctuation entre la formule introductive et la source citée. Sans être exhaustif, le tableau ci-dessous présente les formules introductives courantes.

Voir	La source citée **appuie directement** l'idée exprimée dans le texte.
Voir aussi	La source citée **s'ajoute à d'autres qui appuient** l'idée exprimée dans le texte, mais elle n'est pas la plus concluante et n'est pas entièrement à propos.
Voir toutefois	La source citée **est en désaccord partiel** avec l'idée exprimée dans le texte, mais elle ne la contredit pas directement.
Voir par ex	La source citée **en est une parmi plusieurs qui appuient** l'idée exprimée dans le texte, mais ces autres sources ne sont pas citées.
Voir généralement	La source citée **appuie l'idée exprimée dans le texte et fournit des renseignements généraux** sur le sujet. Il est alors recommandé d'ajouter des informations supplémentaires entre parenthèses (voir la section 1.3.7).
Voir notamment	La source citée **est la plus concluante parmi plusieurs références qui appuient** l'idée exprimée dans le texte. Utiliser cette formule lorsque seules les meilleures sources sont présentées.
Comparer	La source citée fournit une idée différente de celle exprimée dans le texte, mais elle **permet tout de même d'établir une comparaison intéressante**. Il est alors recommandé d'ajouter des informations supplémentaires entre parenthèses (voir la section 1.3.7).
Contra	La source citée **contredit directement** l'idée exprimée dans le texte.

1.3.7 Information entre parenthèses dans les notes de bas de page

Lorsque l'idée affirmée ou infirmée par une cause manque de clarté, il peut être utile de fournir **entre parenthèses** une **brève description d'une phrase ou moins**. Une citation courte de la cause peut également être incluse entre parenthèses, suivie de la référence précise.

L'information entre parenthèses poursuit l'idée de la phrase précédente et débute par une minuscule. Si la citation débute par une majuscule, changer la première lettre par une minuscule entre crochets.

> [1] *Roncarelli c Duplessis*, [1959] RSC 121,16 DLR (2e) 689, juge Rand (une décision discrétionnaire « [must] be based on considerations pertinent to the object of the administration » à la p 140); *Oakwood Development Ltd c St François Xavier (Municipalité)*, [1985] 2 RCS 164, 20 DLR (4e) 641, juge Wilson [*Oakwood* avec renvois aux RCS] (« [l]'omission d'un organe de décision administrative de tenir compte d'un élément très important constitue une erreur au même titre que la prise en considération inappropriée d'un facteur étranger à l'affaire » à la p 174).

L'information entre parenthèses concerne la référence précédente. Ainsi, dans l'exemple suivant, l'information entre parenthèses doit être placée après la décision à laquelle l'information se réfère.

> [3] *R c Robillard* (2000), [2001] RJQ 1, 151 CCC (3e) 296 (CA) (le juge de la Cour supérieure a commis une erreur en déclarant que la réception en preuve des communications non confidentielles était susceptible de déconsidérer l'administration de la justice), infirmant [1999] JQ n° 5583 (CS) (QL).

1.4 RÉFÉRENCES ULTÉRIEURES ET ANTÉRIEURES

Lorsqu'une source apparaît plus d'une fois, **ne mentionner la référence complète que la première fois**. Les références ultérieures renvoient à cette première référence.

1.4.1 Titre abrégé

1.4.1.1 Modèle de base

Ne pas créer de titre abrégé si la référence n'est mentionnée qu'une fois dans le texte. Si le titre d'une source est court (environ trois mots ou moins), le titre complet peut être utilisé dans toutes les références ultérieures (voir note 10). Si le titre d'une source est plus long, créer un titre abrégé et l'utiliser dans toutes les références ultérieures.

Mettre le titre abrégé entre crochets à la fin de la référence, avant l'information entre parenthèses (section 1.3.7) et les étapes successives de la cause (section 3.11). Ne pas mettre les crochets en italique.

Placer les titres abrégés de législation et de jurisprudence en italique (par ex. *Charte*). Toutefois, les abréviations comme **CcQ** ne sont pas considérées comme des titres abrégés et ne doivent pas être placées en italique. Il est tout de même possible d'utiliser *Code* en tant que titre abrégé. Si un seul code est mentionné dans le texte, il n'est pas nécessaire d'inclure cette forme abrégée entre crochets après la première référence.

Toutes les références ultérieures (*supra, ibid*) doivent être précédées du titre abrégé de la source pour guider le lecteur à la note de la référence complète (voir note 80).

> [4] *Lamborghini (Canada) inc c Automobili Lamborghini SPA* (1996), [1997] RJQ 58 (CA) [*Lamborghini*].
>
> [7] *R c W (R)*, [1992] 2 RCS 122 au para 1, 74 CCC (3e) 134.
>
> [10] *R c W (R)*, *supra* note 7 au para 3.
>
> [21] *Lamborghini*, *supra* note 4 à la p 66.
>
> [41] Christine Gagnon, « Les effets de la publication de la déclaration de copropriété » dans *La copropriété divise*, 2e éd, Cowansville (QC), Yvon Blais, 2007.
>
> [80] Gagnon, *supra* note 41 à la p 1.

1.4.1.2 Législation

Si une loi a un **titre abrégé officiel**, lui seul devrait être fourni dans la première référence. Si ce titre abrégé officiel est suffisamment court, il peut être utilisé pour les références ultérieures.

> [1] *Code criminel*, LRC 1985, c C-46.

Si une loi n'a **pas de titre abrégé officiel ou que celui-ci est trop long** pour les références ultérieures, il peut être abrégé par un titre distinctif indiqué entre crochets à la fin de la référence.

> [2] *Charte des droits et libertés de la personne*, RLRQ c C-12 [*Charte québécoise*].
>
> [4] *Charte canadienne des droits et libertés*, partie I de la *Loi constitutionnelle de 1982*, constituant l'annexe B de la *Loi de 1982 sur le Canada* (R-U), 1982, c 11 [*Charte canadienne*].

Les abréviations bien connues peuvent également être utilisées.

> [3] *Loi sur la Gendarmerie royale du Canada*, LRC 1985 (2e supp), c 8 [*Loi sur la GRC*].

1.4.1.3 Jurisprudence

Choisir **une partie distinctive de l'intitulé ou le nom de l'une des parties** pour créer un titre abrégé.

> *PPL Corp v Commissioner of Internal Revenue*, 569 US ___, 133 S Ct 1897 (2013) [*PPL*].

Il est possible d'utiliser d'autres éléments afin d'identifier une cause :

1) Un intitulé plus connu provenant d'une cour inférieure.

> *Québec (PG) c A*, 2013 CSC 5 [*Éric c Lola*].

2) Le nom d'un navire pour la jurisprudence maritime.

Overseas Tankship (UK) Ltd v Miller Steamship Co (1966), [1967] 1 AC 617 à la p 625, [1966] 2 All ER 709 [*Wagon Mound No 2*].

3)   Le nom d'un médicament pour les litiges en matière de brevets pharmaceutiques.

Apotex c Pfizer, 2009 CAF 8 [*Viagra*].

Afin d'éviter toute confusion lorsqu'il y a plusieurs causes portant le même nom, utiliser l'année de la décision. Noter que la date doit être en caractères romains.

R c Morgentaler, [1993] 3 RCS 462, 1993 CanLII 158 (CSC) [*Morgentaler* 1993].

Afin de différencier les décisions d'une même cause émanant de différentes cours, utiliser les abréviations de l'**annexe B-2**. Noter que l'abréviation de la cour doit être en caractères romains.

[13] *Pappajohn c R*, [1980] 2 RCS 120, 1980 CanLII 13 (CSC) [*Pappajohn* CSC].

[14] *R c Pappajohn* (1978), 45 CCC (2e) 67, [1979] 1 WWR 562 (BCCA) [*Pappajohn* CA].

Si la référence originale comporte une référence parallèle, mais pas de référence précise, indiquer le recueil utilisé pour les références précises subséquentes à l'aide de la mention **avec renvois aux**, suivie de l'abréviation du recueil. Si une référence précise est indiquée dans la référence originale, cela sous-entend que toutes les références subséquentes seront effectuées à la même source. Ne pas inclure **avec renvois aux** dans ce cas. Les références précises subséquentes doivent être effectuées à la même source. Pour les causes ayant une **référence neutre**, il n'est pas nécessaire d'indiquer à quel recueil les références ultérieures appartiennent puisque la référence précise se fait aux paragraphes. La numérotation des paragraphes est déterminée par les cours et est uniforme pour tous les recueils.

[2] *R c Van der Peet*, [1996] 2 RCS 507, 1996 CanLII 216 (CSC) [*Van der Peet* avec renvois aux RCS].

[3] *R c Ruzic*, 2001 CSC 24 au para 2 [*Ruzic*].

1.4.1.4 Doctrine

Ne pas inclure de forme abrégée à la fin de la référence originale. **Indiquer seulement le nom de famille de l'auteur** dans les références ultérieures.

[2] Marie-Thérèse Chicha, *L'équité salariale : mise en œuvre et enjeux*, 2e éd, Cowansville (QC), Yvon Blais, 2000.

[12] Chicha, *supra* note 2 à la p 183.

Si plusieurs auteurs cités ont le même nom de famille, inclure les initiales du prénom pour ces auteurs.

[7] Stephen A Smith, « Duties, Liabilities, and Damages » (2012) 125:7 Harv L Rev 1727.

[9] Lionel Smith, « The Province of the Law of Restitution » (1992) 71:4 R du B can 672.

[20] S Smith, *supra* note 7 à la p 1731.

[27] L Smith, *supra* note 9 à la p 675.

Si **plusieurs ouvrages d'un même auteur sont mentionnés,** utiliser le nom de famille de l'auteur et un titre abrégé. Respecter la forme typographique du titre du document dans le titre abrégé, soit l'utilisation de l'italique pour les livres ou l'utilisation des guillemets pour les articles.

> [3] Aline Grenon, « La protection du consommateur et les sûretés mobilières au Québec et en Ontario : solutions distinctes? » (2001) R du B can 917 [Grenon, « Protection »].
>
> [14] Grenon, « Protection », *supra* note 3 à la p 923.

Pour faire référence à **deux articles différents ou plus publiés dans un même ouvrage collectif,** inclure une forme abrégée de l'ouvrage collectif en appliquant les règles ci-dessus. À chaque première référence à un article de cet ouvrage, inclure la forme abrégée à la suite du nom de l'auteur et du titre de l'article. Pour les références subséquentes à un article, appliquer les règles ci-dessus.

> [13] Louise Rolland, « La simulation dans le droit civil des obligations : le mensonge révélateur » dans Nicholas Kasirer, *Le faux en droit privé*, Montréal, Thémis, 2000 à la p 93
>
> [86] Philippe Jestaz, « Faux et détournement d'institution en droit français de la famille » dans Kasirer, *supra* note 13 à la p 13.
>
> [91] Jestaz, *supra* note 86 à la p 15.

1.4.2 *Ibid*

Ibid est l'abréviation du mot latin *ibidem*, qui signifie « au même endroit ». Utiliser *ibid* pour indiquer la **référence immédiatement précédente.** Ne pas indiquer le numéro de la note référée.

Utiliser *ibid* **après une référence complète** (voir note 2), **après un *supra*** (voir note 6) ou même **après un autre *ibid*** (voir note 7). S'il y a plus d'une référence dans la note de bas de page précédente, utiliser *supra* au lieu de *ibid*. Quand *ibid* est utilisé sans référence précise, *ibid* indique la même référence précise que la note précédente (voir note 6). Utiliser *supra* pour indiquer la référence originale complète lorsque la source précédente contenait une référence précise (voir note 8).

Pour faire référence à la source précédente dans une même note, utiliser *ibid* entre parenthèses (voir note 98).

> [1] Voir *Lapointe c Hôpital Le Gardeur*, [1992] 1 RCS 382, 90 DLR (4e) 27 [*Lapointe*].
>
> [2] *Ibid* à la p 383. Voir aussi *Laferrière c Lawson*, [1991] 1 RCS 541 à la p 592, 78 DLR (4e) 609 [*Laferrière*]; *Wilson c Rowswell*, [1970] RCS 865, 11 DLR (3e) 737 [*Wilson*].
>
> [5] *Laferrière*, *supra* note 2 à la p 595.
>
> [6] *Ibid.*
>
> [7] *Ibid* à la p 599.
>
> [8] *Laferrière*, *supra* note 2.
>
> [98] Voir aussi *Pelletier c Roberge*, [1991] RRA 726, 41 QAC 161 [*Pelletier*]. *Pelletier* emploie la théorie de la perte de chance en droit québécois (voir *ibid* à la p 737).

1.4.3 *Supra*

Supra est le mot latin pour « ci-dessus ». Utiliser *supra* et le titre abrégé pour indiquer la **référence précédente contenant la référence complète**. *Supra* indique toujours la référence originale complète et non un autre *supra* ou *ibid*. Si la source est identifiée clairement dans le corps du texte, il n'est pas nécessaire de la répéter dans la note (voir note 58).

Pour faire référence **à la fois à la note et au corps du texte accompagné par la note**, utiliser la formule suivante : **supra note # et texte correspondant** (voir note 59). Pour faire référence **uniquement au texte** et non aux notes de bas de page, utiliser **ci-dessus** (section 1.4.4) et non *supra*.

[1] *Canada (PG) c Biorex inc*, [1996] RDJ 548 (disponible sur QL) (CA) [*Biorex*]; voir aussi *Loi sur les jeunes contrevenants*, LRC 1985, c Y-1.

[56] *Biorex*, *supra* note 1 à la p 551.

[57] *Loi sur les jeunes contrevenants*, *supra* note 1, art 5.

[58] *Supra* note 1 à la p 550.

1.4.4 Ci-dessus et ci-dessous

Utiliser les expressions *ci-dessus* et *ci-dessous* pour référer le lecteur à une **partie du texte** plutôt qu'aux notes de bas de page.

[1] Voir la partie III-A, **ci-dessus**, pour l'analyse de cette question.

[2] Voir la discussion plus approfondie de cette cause aux pp 164-70, **ci-dessous**.

Si le texte n'est pas divisé en parties ou en paragraphes facilement identifiables (par ex. en sous-titres ou en numéros de paragraphes) ou si la pagination finale du texte n'est pas définitive au moment de la rédaction, utiliser la formule *texte correspondant à la note #*.

[3] Voir l'analyse de la décision dans l'arrêt *Oakes* au **texte correspondant à la note 41**.

1.5 RÉFÉRENCES PRÉCISES

	page	paragraphe	article	note de bas de page	numéro
singulier	*Ibid* à la p 512.	*Ibid* au para 6.	*Ibid*, art 1457.	*Ibid* à la p 512, n 139.	*Ibid*, n° 45.
pluriel	*Ibid* aux pp 512–14.	*Ibid* aux para 6, 12.	*Ibid*, arts 1457–69.	*Ibid* à la p 512, nn 139, 142–46.	*Ibid*, n° 45-47.

Utiliser une référence précise pour faire référence à une portion spécifique du texte. Si possible, faire référence aux paragraphes, aux articles, aux notes de bas de page, aux numéros ou à toute autre division qui est plus précise que le numéro de page. Faire référence au numéro de page s'il n'existe pas de plus petite division. Pour les divisions qui ne sont pas incluses dans le tableau ci-dessus, indiquer **à**, le déterminant approprié, le nom de la division et le numéro (par ex. **à la note 7/3**).

Séparer les **références précises non-consécutives** par une **virgule**, et les **références précises consécutives** par un **tiret court** (–) et non un **trait d'union** (-). Retenir au moins les deux derniers chiffres après le tiret court (par ex. **159-60**). Si le modèle d'indexation des pages contient des traits d'union (par ex. 70.1-3, 70.1-4 etc.) ou tout autre modèle pouvant rendre ambiguë la séquence numérique lorsque unie avec un tiret court, privilégier la formule **à** pour unir la séquence de pages (par ex. 70.1-3 à 70.1-5).

Bien qu'il soit généralement préférable de faire référence à un numéro ou à une étendue spécifique, pour faire référence à une **zone générale**, placer **et s** (l'abréviation de « et suivantes ») immédiatement après le numéro de la première page de cette zone.

Ne pas abréger les éléments non numérotés (par ex. Préambule, Annexe, Disposition Préliminaire, etc.) dans une référence précise.

1.6   RESSOURCES ÉLECTRONIQUES

Un site internet constitue un ensemble de pages hébergées sur un serveur et accessible via internet. Aux fins du présent ouvrage, cette section ne s'applique pas aux bases de données en ligne, qui sont plutôt traitées dans les sections pertinentes relatives aux différents types de sources. Les sites internet ont l'avantage d'être accessibles à tous, mais présentent malheureusement un contenu souvent éphémère et n'ont pas toujours un statut officiel. Il est possible de se référer seulement à une version électronique d'une source lorsqu'il s'agit d'une version officielle, lorsqu'elle est la seule version existante ou lorsqu'elle est la seule version raisonnablement accessible. Pour chaque type de sources, consulter les règles spécifiques relatives aux ressources électroniques. Voir notamment la section 6.19 lorsque le site internet est la référence principale.

1.6.1   Archivage des sources internet

Afin de pallier au caractère éphémère du contenu disponible en ligne et d'empêcher la rupture des liens, il est préférable de se référer à une URL archivée à la suite de l'URL originale. Placer l'URL archivée entre crochets à la fin de la référence. L'utilisation du système d'archivage Perma est hautement recommandée (voir les exemples de la section 1.6.2).

Lorsqu'une URL archivée est indiquée dans la référence, n'inclure que l'URL de la racine du site internet si l'URL originale est trop longue ou peu conviviale.

1.6.2   Référence parallèle à des sources électroniques

Lorsque le contenu d'un site internet est disponible dans un autre format, privilégier une référence principale à cet autre format. Il est toutefois conseillé d'inclure une référence parallèle au format internet de la source puisque les lecteurs y ont généralement plus facilement accès. Inclure l'URL à la suite de la référence traditionnelle. La référence traditionnelle suit les règles prévues pour chaque type de sources.

> Référence traditionnelle, | en ligne : | <URL> | [URL archivée].

> Henry Samuel, « March for Girl Set Alight After Marriage Refusal », *The Daily Telegraph* (28 novembre 2005), en ligne : <www.telegraph.co.uk> [perma.cc/HC6D-K9M9].

> Kahikino Noa Dettweiler, « Racial Classification or Cultural Identification?: The Gathering Rights Jurisprudence of Two Twentieth Century Hawaiian Supreme Court Justices » (2005) 6:1 Asian Pac L & Pol'y J 5, en ligne : <www.hawaii.edu/aplpj> [perma.cc/8EYU-FMGV].

> Jean Teillet, *Metis Law in Canada*, Vancouver, Pape Salter Teillet, 2013, en ligne : <www.pstlaw.ca/resources/Metis-Law-in-Canada-2013.pdf> [perma.cc/TT3D-R42Z].

1.6.3   Identifiants numériques d'objet

Un identifiant numérique d'objet (DOI) est un repère de ressource permanent et unique qui identifie un document en ligne sans égard à son emplacement. Pour trouver un document qui a un DOI, entrer l'identifiant dans un outil de recherche qui reconnaît les DOI. Lorsqu'un DOI est disponible, ajouter le DOI à la fin de la référence traditionnelle.

> Référence traditionnelle, | DOI : | <identifiant numérique d'objet>.

> Anne Pineau, « Conjuguer relations tripartites et sous-traitance avec travail décent » (2013) 54:2 C de D 461, DOI : <10.7202/1017621ar>.

1.7   RÉFÉRENCES AUX SOURCES CITANT OU REPRODUISANT LA SOURCE ORIGINALE

Il est toujours préférable de faire référence à la source originale. Si une source originale se trouve en partie dans une autre source (la source citante), consulter la source originale afin de vérifier le contexte et l'exactitude de la citation.

1.7.1   Source orginale difficile à trouver

Lorsque la source originale est difficile à trouver ou a été détruite, il est possible de se référer à la source originale telle qu'elle se trouve dans la source citante, en fournissant le plus de renseignements possible sur la source primaire, suivis de **tel que cité dans** et de la référence à la source citante.

> George R au Gouverneur Arthur Phillip, Instruction royale, 25 avril 1787 (27 Geo III), **reproduite dans** *Historical Documents of New South Wales*, t 1, 2ᵉ partie, Sydney, Government Printer, 1892-1901 à la p 67.

Dans certains cas, la version originale d'un document entièrement réimprimé dans un ouvrage collectif (par ex. les collections reproduisant les débats, les lettres, les traités ou les manuscrits) est uniquement disponible dans les archives. Dans ce cas, fournir le plus de renseignements possible sur le document original, suivis de **reproduit(e) dans** et de la référence à la source citante. Ne pas faire référence aux éditions reproduisant des extraits de sources originales facilement disponibles (par ex. des manuels).

> *Papers Relating to the Commission appointed to enquire into the state and condition of the Indians of the North-West Coast of British Columbia*, British Columbia Sessional Papers, 1888 aux pp 432-33, tel que cité dans Hamar Foster, « Honouring the Queen's Flag: A Legal and Historical Perspective on the Nisga'a Treaty » (1998) 120 BC Studies 11 à la p 13.

1.7.2 Accent sur la source citante

Pour souligner le fait qu'une source citante utilise la source originale (par ex. lorsque la source citante est plus éminente ou a plus de crédibilité), inclure la référence de la source citante, suivi de citant et de la source originale.

> *Canada (Citoyenneté et Immigration) c Khosa*, 2009 CSC 12 au para 38, citant Pierre-André Côté, *Interprétation des lois*, 3ᵉ éd, Cowansville (QC), Yvon Blais, 1999 à la p 91, n 123.

1.8 RÈGLES GÉNÉRALES CONCERNANT LES CITATIONS

Ces règles s'appliquent tant au corps du texte qu'aux notes de bas de page.

1.8.1 Emplacement des citations

Insérer les citations courtes (de **moins de quatre lignes**) dans le texte entre guillemets. Mettre les citations plus longues (de **quatre lignes ou plus**) en retrait des marges, à simple interligne et sans guillemets. Les dispositions législatives peuvent également être citées en retrait des marges même si elles ont moins de quatre lignes.

> Il rejette cet argument au motif que, selon lui, il n'existe « aucune contradiction entre le refus de permettre le paiement d'honoraires extrajudiciaires et le droit d'accorder des honoraires spéciaux »[4].
>
> La juge Dutil est également amenée à traiter de l'importance du fait que l'usine s'est établie à cet endroit avant les réclamants. À ce sujet, elle affirme que
>
>> [l]a preuve ne démontre pas que les résidents du quartier Villeneuve savaient, à leur arrivée, qu'ils s'exposaient à des inconvénients aussi importants que ceux qu'ils ont vécus. Ils pouvaient s'attendre à certains inconvénients du fait qu'ils étaient voisins d'une cimenterie, cependant, ils s'installaient dans un quartier résidentiel [. . .][5].
>
> L'art. 32 C.c.Q. accorde à l'enfant un statut qui lui a longtemps été dénigré à travers l'histoire. Il se lit comme suit :
>
>> Tout enfant a droit à la protection, à la sécurité et à l'attention que ses parents ou les personnes qui en tiennent lieu peuvent lui donner.

1.8.2 Forme des citations

L'orthographe, les majuscules et la ponctuation d'une citation **reproduisent la source originale**; toute modification doit être clairement indiquée entre crochets. Si la phrase devient grammaticalement incorrecte, faire un ajustement entre crochets au début de la citation (par ex. changer une majuscule pour une minuscule ou vice-versa). Utiliser **l'ellipse entre crochets [. . .]** lorsque la citation est incomplète ou que la phrase citée se poursuit. Omettre les ellipses au début ou à la fin d'une citation, sauf dans les cas où la phrase est délibérément laissée grammaticalement incomplète.

Lorsque la source originale contient une faute, **inclure la correction entre crochets**. Ne pas utiliser [*sic*], à moins d'avoir une raison particulière de vouloir signaler l'erreur ou de vouloir la conserver.

Pour mettre l'accent sur une partie d'une citation, la mettre en italique et ajouter [nos italiques] immédiatement après la citation. Si les italiques étaient déjà indiquées dans la version originale, ajouter [italiques dans l'original]. Lorsque le texte original contient des notes de bas de page et qu'elles ne sont pas reproduites dans la citation, ajouter [notes omises] après la citation. Cette règle est contraire aux règles de la partie anglaise, selon lesquelles ces expressions sont placées à la fin de la référence et non à la fin de la citation.

> « [L]'objection identitaire s'avère [. . .] bien fondée »[32], et représente ainsi un élément important du débat.
>
> Donc, « [c]ette dichotomie découle tout naturellement de *l'impossibilité des juges de se dégager de leurs principes nationaux* » [nos italiques][53].
>
> « L'intérêt d'autrui, auquel l'exercice d'un pouvoir est subordonné, le distingue essentiellement du droit subjectif que son titulaire exerce librement. La poursuite de l'intérêt d'autrui intègre nécessairement au pouvoir un but, dont l'attributaire doit tenir compte dans son exercice » [notes omises].

1.8.3 Citation d'une source dans une autre langue

Utiliser autant que possible la version française de la source lorsque le texte rédigé est en français et une version anglaise lorsqu'il est rédigé en anglais. Le Canada, le Québec, le Manitoba, le Nouveau-Brunswick, l'Ontario, les Territoires du Nord-Ouest et le Yukon adoptent leurs lois en français et en anglais. Cependant, avant une certaine date, il est possible que celles-ci n'existent qu'en version anglaise.

Dans un texte juridique, il n'est pas nécessaire de traduire un passage tiré d'une source dans une autre langue. Toutefois, si cela facilite la compréhension, la référence doit clairement indiquer qui a traduit la citation. Pour une traduction professionnelle, voir la section 6.2.2.4.1. Pour une traduction de l'auteur (vous), indiquer [notre traduction] après la citation.

> Comme l'indique Robin, « les faits de l'espèce ne permettent pas de conclure à la mauvaise foi » [notre traduction][79].

Saskatchewan	Certaines décisions d'autorisation de pourvoi ont une référence neutre et sont disponibles sur CanLII ou sur une base de données en ligne de la province (qui mène à CanLII).	www.lawsociety.sk.ca/library/public-resources/court-of-appeal-judgments.aspx
Terre-Neuve-et-Labrador	Les décisions d'autorisation de pourvoi ne sont actuellement pas disponibles en ligne.	
Territoires du Nord-Ouest	Certaines décisions d'autorisation de pourvoi ont une référence neutre et sont disponibles sur le site internet du Département de Justice.	decisia.lexum.com/nwtcourts-courstno/fr/nav.do
Yukon	Les décisions d'autorisation de pourvoi ne sont actuellement pas disponibles en ligne.	

NB: les informations concernant les sites internet des tribunaux sont généralement aussi disponibles via CanLII ou d'autres bases de données en ligne.

3.12 JUGEMENTS NON PUBLIÉS ET SANS RÉFÉRENCE NEUTRE

Intitulé | (date), | district judiciaire | numéro de greffe | (indication géographique et cour).

Indiquer l'intitulé et la date de la décision entre parenthèses, suivis d'une virgule, du district judiciaire, du numéro de greffe, ainsi que de l'indication géographique et de la cour entre parenthèses.

R c Crète (18 avril 1991), Ottawa 97/03674 (CP Ont).

3.13 JURISPRUDENCE EXPRESS

Jurisprudence Express est un recueil non officiel, qui fournit des résumés jurisprudentiels de décisions rendues au Québec. Bien qu'il soit préférable de ne pas se référer à Jurisprudence Express, certaines décisions sont uniquement publiées dans ce recueil. L'abréviation **JE** doit être placée au début de la référence. Inclure ensuite l'année du recueil, suivie du numéro de la décision citée (ne pas indiquer le numéro de la page). Pour les recueils publiés avant l'année 2000, n'inclure que les deux derniers chiffres de l'année. À partir de 2000, inclure les quatre chiffres de l'année.

Lalancette c Gagnon, [1995] JQ no 3573 (QL), **JE 95-1255** (CQ).
Commission des normes du travail c Mercier, [2000] JQ no 7821 (QL), **JE 2000-2257** (CQ civ).

Jurisprudence

3.14 JUGEMENTS INTERLOCUTOIRES

Intitulé ou *nom des parties* | (date), | district judiciaire, | identifiant de la cour | numéro de dossier | type de document (par ex. requête en irrecevabilité).

> *Marris Handold v Tyson Blair* (23 avril 2011), Montréal, CA QC 500-02-019902-944 (jugement interlocutoire).

3.15 ORGANES ET TRIBUNAUX ADMINISTRATIFS

3.15.1   Références aux recueils imprimés

Fournir l'intitulé de la décision tel qu'il apparaît dans le recueil et indiquer si le processus est contradictoire (séparer le nom des parties par *c*) ou non (mettre *Re* avant l'intitulé). Lorsqu'il n'y a pas d'intitulé, indiquer le numéro de la décision.

> *Médecins (Ordre professionnel des)* c *Latulippe (CD Méd)*, [1997] DDOP 89 (TP).
> *Re Citric Acid and Sodium Citrate* (1985), 10 CER 88 (Tribunal canadien des importations).

Indiquer l'abréviation employée par l'organe ou le tribunal administratif entre parenthèses à la fin de la référence s'il est impossible de le déduire du titre du recueil (utiliser le nom si aucune abréviation n'est trouvée). Utiliser une abréviation courte pour les provinces et les territoires (par ex. la Commission des valeurs mobilières du Québec est abrégée **CVMQ**, la Commission des valeurs mobilières de l'Ontario est abrégée **CMVO** et la Newfoundland and Labrador Human Rights Commission est abrégée **NLHRC**). À noter que les abréviations d'un recueil imprimé peuvent être différentes de celles d'un organisme administratif (par ex. **OSC** ou **OSCB**).

3.15.2   Décisions en ligne

Intitulé | (date), | numéro de la décision, | en ligne : | organe ou tribunal administratif | <URL>.

Indiquer la date précise de la décision entre parenthèses après l'intitulé, et suivie d'une virgule.

> *Autorité des marchés financiers* c *Jean-Yves Mulet* (9 septembre 2009), 2009-019, en ligne : *BDRVM* <www.bdrvm.com>.

Indiquer le numéro de la décision (s'il y a lieu), suivi de **en ligne :** et de l'abréviation utilisée par le tribunal ou l'organe administratif. Utiliser une abréviation courte pour les provinces et les territoires (par ex. la Commission des valeurs mobilières du Québec est abrégée **CVMQ**, la Commission des valeurs mobilières de l'Ontario est abrégée **CVMO** et la *Newfoundland and Labrador Human Rights Commission* est abrégée **NLHRC**).

Réexamen de la décision de radiodiffusion 2008-222 conformément aux décrets CP 2008-1769 et CP 2008-1770 (11 août 2009), CRTC 2009-481, en ligne : *CRTC* <www.crtc.gc.ca/fra/archive/2009/2009-481.htm>.

Voir la section 1.6 pour plus de renseignements sur la référence à des ressources électroniques.

3.16   PLAIDOIRIES ET DOCUMENTS DE PREUVE À L'AUDIENCE

Pour un **mémoire**, indiquer la référence complète de la cause. Ensuite, écrire entre parenthèses **mémoire de**, le nom de la partie (**appelant** ou **intimé**) et le numéro de la page ou du paragraphe. Utiliser les références complètes pour les parties. Créer un titre abrégé lors de la première référence au document (par ex. **mémoire de l'appelant au para 16 [MA]**).

Renvoi relatif à la sécession du Québec, [1998] 2 RCS 217 (mémoire de l'appelant au para 16).

Pour une **plaidoirie orale**, indiquer la référence complète de la décision, suivie de **plaidoirie orale de** et du nom de la partie entre parenthèses.

Vriend c Alberta, [1998] 1 RCS 493 (plaidoirie orale de l'appelant).

Pour un **règlement public hors cour**, fournir l'intitulé, suivi de **règlement hors cour** entre crochets, et des autres éléments de la référence. Si le règlement a été annoncé dans un communiqué de presse, voir la section 6.14.

Mulroney c Canada (PG) [Règlement hors cour], [1997] AQ n$^\circ$ 45 (CS) (QL).

Pour un **élément de preuve**, indiquer la référence complète de la décision, suivie de **preuve** et d'une brève description de l'élément entre parenthèses.

R c Swain, [1991] 1 RCS 933 (preuve, recommandation du Dr Fleming de remettre l'appelant en liberté).

Adapter la forme générale fournie ci-haut pour les autres types de documents, dont les témoignages, les dépositions, les affidavits, les assignations, les memoranda, les transcriptions, les plumitifs, etc.

Tremblay c Daigle, [1989] 2 RCS 530, 62 DLR (4e) 634 (affidavit de Daigle).

3.17   DÉCISIONS D'ARBITRAGE

Même si les décisions d'arbitrage font peu autorité, elles sont également régies par les règles de citation applicables à la jurisprudence (voir les sections 3.3, 3.4, 3.6 et 3.7). Pour les décisions d'**arbitrage international**, voir la section 5.2.11. Pour les décisions de l'**OMPI**, voir la section 5.2.12.

Intitulé ou numéro de la décision | (année de la décision), | recueil ou identifiant | référence précise | (arbitre : | nom de l'arbitre).

Indiquer l'intitulé ou le numéro de la décision, suivi de l'année de la décision entre parenthèses. Si la décision est publiée dans un recueil imprimé, faire référence au recueil d'arbitrage. Si la décision est publiée dans un service de bases de données en ligne, inclure l'identifiant fourni par le service. Ajouter l'abréviation du service entre parenthèses si elle n'est pas déjà mentionnée dans l'identifiant. Si possible, ajouter le **nom de l'arbitre ou des arbitres** entre parenthèses précédé par **arbitre :** ou **arbitres :**. Puisqu'il s'agit du moyen le plus efficace pour les lecteurs de comprendre qu'il s'agit d'une décision d'arbitrage et non d'une décision ordinaire, il est fortement conseillé d'inclure cet élément dans la citation.

California State University v State Employers Trade Council — United (2009), 126 Lab Arb (BNA) 613 (arbitre : Bonnie Bogue).

Winona School District ISD 861 Winona v Winona Education Association (2006), 2006 WL 3876585 (arbitre : Daniel J Jacobowski).

4 Documents gouvernementaux...F-59

4 DOCUMENTS GOUVERNEMENTAUX

4.1 DOCUMENTS PARLEMENTAIRES

Cette section s'applique aux documents publiés directement par un organe parlementaire (débats, journaux, feuilletons, documents parlementaires, procès-verbaux et rapports). Appliquer les règles générales prévues à la section 4.1.1 à moins que le document cité n'entre dans les catégories particulières prévues aux sections 4.1.2 à 4.1.5.

4.1.1 Modèle de base

> Indication géographique, | législature, | *titre*, | numéro de la législature et session, | volume, | numéro | (date) | référence précise | (orateur).

Écrire l'indication géographique (s'il s'agit d'une province) et la législature à moins que ces informations ne fassent partie du titre du document. Pour tous les documents gouvernementaux fédéraux, n'ajouter l'indication géographique (Canada) que si des références à des documents internationaux dans le texte risquent de mélanger le lecteur.

> *Débats de la Chambre des communes*, 37-1, n° 64 (17 mai 2001) à la p 4175 (Hon Elinor Caplan).
>
> Québec, Assemblée nationale, *Procès-verbal*, 39-1, n° 48 (18 juin 2009) à la p 517.
>
> Saskatchewan, *Journals of the Legislative Assembly*, 23-3, vol 105 (9 mars 1998) à la p 7.
>
> Québec, Assemblée nationale, *Feuilleton et préavis*, 38-1, n° 79 (6 mai 2008).

Indiquer le titre en italique tel qu'il apparaît sur la page titre du document. Indiquer le numéro de la législature suivi du numéro de la session. Utiliser des nombres cardinaux. Par exemple, **37ᵉ parlement, 1ʳᵉ session** devient **37-1**.

S'il y a lieu, inclure le volume et/ou le numéro du document après la virgule suivant le titre. Indiquer la date complète entre parenthèses, suivie de la référence précise. S'il y a lieu, indiquer le nom de l'orateur entre parenthèses à la fin de la référence.

4.1.2 Débats législatifs

Si pertinent, indiquer le titre du projet de loi en discussion entre guillemets et le numéro de la lecture devant l'indication géographique, la législature et le titre.

> « Projet de loi C-8, Loi modifiant la loi sur le droit d'auteur, la loi sur les marques de commerce et d'autres lois en conséquence », 2ᵉ lecture, *Débats de la Chambre des communes*, 41-2, n° 9 (28 octobre 2013) à la p 1504 (Hon Steven Blaney).

Utiliser le même modèle de base pour faire référence à un débat impliquant un comité, mais inclure le nom du comité après la législature. Le titre est le titre du document produit par le comité en question.

Chambre des communes, Comité permanent de la justice et des droits de la personne, *Témoignages*, 39-2, n° 12 (7 février 2008) à 15:30 (Tony Cannavino).

4.1.3 Feuilletons

Au fédéral, le *Feuilleton* et le *Feuilleton des avis* sont deux parties d'une seule publication. Indiquer uniquement le recueil pertinent comme titre.

Chambre des communes, *Feuilleton*, 39-1, n° 175 (20 juin 2007).

4.1.4 Documents parlementaires

Les documents parlementaires étaient anciennement publiés dans les *Sessional Papers*. Fournir le titre du rapport entre guillemets après la mention de la législature. S'il y a un auteur, indiquer son nom après le titre du rapport, suivi de par. Indiquer l'année et non la date complète entre parenthèses.

Ontario, Assemblée législative, « Report on Workmen's Compensation for Injuries » par James Mavor, *Sessional Papers*, n° 40 (1900) aux pp 6–7.

Les documents parlementaires modernes ne sont plus publiés dans des volumes. Au lieu du titre, inclure document parlementaire en caractères romains. Pour les documents parlementaires émanant de la Chambre des communes, inclure le numéro de série indiqué dans le journal.

Chambre des communes, « Rapport du Tribunal canadien du commerce extérieur pour l'exercice terminé le 31 mars 2015 » par Oliver (ministre des Finances), document parlementaire, 41-2, n° 8560-412-553-02 (2 août 2015).

4.1.5 Rapports

Après la législature, inclure le nom de l'organisme et le titre du rapport.

Rapports publiés dans un journal des débats :

Placer le titre du rapport entre guillemets.

Québec, Assemblée nationale, Commission permanente de l'Éducation, « Étude détaillée du projet de loi no 12 : Loi sur l'aide financière aux études », *Journal des débats de la Commission permanente de l'Éducation*, vol 37, n° 11 (1er juin 2001) à la p 1.

Rapports publiés séparément :

Indiquer le titre du rapport en italique. Si le nom du président est indiqué sur la page couverture, ajouter cette information entre parenthèses. Cette section s'applique aux rapports publiés directement par un organe parlementaire. Si le rapport est publié par tout autre organe, voir la section 4.2 sur les rapports non parlementaires.

Chambre des communes, *L'étiquetage des aliments génétiquement modifiés et son impact sur les agriculteurs : Rapport du Comité permanent de l'agriculture et de l'agroalimentaire* (avril 2002) (président : Charles Hubbard).

4.2 DOCUMENTS NON PARLEMENTAIRES

Cette section s'applique à tout document gouvernemental qui n'est pas publié par un organisme législatif. Suivre les règles générales de la section 4.2.1, sauf si le document fait partie d'une catégorie specifique comprise dans les sections 4.2.2–4.2.5.

4.2.1 Modèle de base

> Indication géographique, | organisme, | *titre* | (type de document), | renseignements additionnels, | renseignements sur l'édition | référence précise.

> Canada, Commission royale sur la réforme électorale et le financement des partis, *Pour une démocratie électorale renouvelée*, vol 4, Ottawa, Groupe Communication, 1991 à la p 99.

Inclure l'indication géographique à moins qu'elle ne fasse partie du nom de l'organisme ou du titre du document. Indiquer l'organisme responsable à moins qu'il ne fasse partie du titre. Si le document porte le nom d'un auteur spécifique au sein de l'organisme responsable, fournir le nom de l'auteur après le titre, précédé du mot **par**. Pour le reste de la référence, suivre les règles de la section 6.2.2.

> Statistique Canada, *Statistiques sur les crimes déclarés par la police au Canada, 2011*, **par Shannon Brennan**, n° de catalogue 82-002-X, Ottawa, Statistique Canada, 11 octobre 2012.

Après le titre du document et le nom de l'auteur spécifique s'il y a lieu, fournir tout autre renseignement qui pourrait aider les lecteurs à trouver une source (par ex. données provenant d'un catalogue) ou à évaluer l'autorité d'une source (par ex. la date à laquelle la source a été mise à jour, ou une indication que la source est en examen ou a été annulée). Séparer chaque élément par une virgule. Si le document est divisé en plusieurs volumes, suivre les règles de la section 6.2.4. Le nom du commissaire ou du président peut être inclus entre parenthèses après le titre.

> Statistique Canada, *Les unions interculturelles*, par Anne Milan et Brian Hamm, dans *Tendances sociales canadiennes*, **n° de catalogue 11-008-X**, Ottawa, Statistique Canada, 2004.
>
> Office de la propriété intellectuelle, *Recueil des pratiques du Bureau des brevets*, **mise à jour décembre 2010**, Ottawa, Industrie Canada, 1998 à la p 12.
>
> Québec, Ministère de la justice, *Commentaires du ministre de la Justice : le Code civil du Québec*, **t 1**, Québec, Publications du Québec, 1993 à la p 5.

Si l'organisme responsable est également l'éditeur du document, il est possible de l'abréger ou de le remplacer par un acronyme dans la section des renseignements sur l'édition. Pour tout autre renseignement sur l'édition, suivre les règles des sections 6.2.5 à 6.2.9.

> Québec, **Office de révision du Code civil**, *Rapport sur les obligations*, par le Comité du droit des obligations, Montréal, **ORCC**, 1975.

Si le type de document est indiqué sur la page titre, fournir ce renseignement entre parenthèses après le titre du document.

Commission de la santé et de la sécurité du travail du Québec, *Planification des mesures d'urgence pour assurer la sécurité des travailleurs* (**Guide**), Québec, CSST, 1999 à la p 53.

Canada, Ministère de la Défense Nationale, *Programme de terminologie de la Défense* (**Directives et ordonnances administratives de la Défense**), n° 6110-1, en examen, Ottawa, MDN, 29 janvier 2010.

Ne pas indiquer le type de document s'il est évident dans le titre ou s'il n'aide pas les lecteurs à trouver ou à comprendre la source.

Agence canadienne des médicaments et des technologies de la santé, *CEDAC Final Recommendation : Abacavir/Lamivudine*, par le Comité consultatif canadien d'expertise sur les médicaments, Ottawa, ACMTS, 16 novembre 2005 aux para 2–4.

Nouvelle-Écosse, Commission d'indemnisation des accidents du travail, *Chronic Pain* (**Fact sheet**), Halifax, CIAT, avril 2008.

À moins que l'indication géographique ne soit précisée dans le titre lui-même, présumer que les documents fédéraux sont publiés à Ottawa et que les documents provinciaux ou territoriaux sont publiés dans la capitale de la province ou du territoire. Indiquer la date de publication la plus complète disponible sur la base des informations contenues dans le document de la source.

Utiliser le même modèle pour les documents des commissions de réforme du droit. Si possible, fournir le numéro du rapport, suivi de l'année entre parenthèses.

Law Reform Commission of British Columbia, *Report on Non-Charitable Purpose Trusts*, Report 128 (1992).

Alberta Law Reform Institute, *Estate Administration*, Final Report 102 (2013) au para 91.

4.2.2   Bulletins d'interprétation (IT) en matière d'impôts et circulaires d'information (IC)

Ministère, | Bulletin d'interprétation | numéro du bulletin, | « titre » | (date) | référence précise.

Les **IT** sont des bulletins d'interprétation courants en matière d'impôt sur le revenu et sont publiés par l'Agence du revenu du Canada. Les **IC** sont des circulaires d'information et sont également publiées par l'Agence du revenu du Canada. Des documents similaires sont publiés dans les provinces.

Agence du revenu du Canada, Bulletin d'interprétation IT-459, « Projet comportant un risque ou une affaire de caractère commercial » (8 septembre 1980).

Faire suivre le numéro de bulletin d'un **R** s'il a été révisé.

Agence du revenu du Canada, Bulletin d'interprétation IT-525R, « Artistes de la scène » (17 août 1995).

Le nombre de révisions est indiqué par le chiffre suivant le R.

Agence du revenu du Canada, Bulletin d'interprétation IT-244R3, « Dons de polices d'assurance-vie à des œuvres charitables » (6 septembre 1991) au para 4.

Lorsque les bulletins d'interprétation en matière d'impôt sont divisés en paragraphes, faire référence au numéro de paragraphe.

4.2.3 Rapports d'enquête et rapport de commissions

Indication géographique, | organisme, | *titre*, | volume | renseignements sur l'édition | (président) | référence précise.

Inclure l'indication géographique, à moins qu'elle ne paraisse ailleurs dans la référence.

Inclure le nom de l'organisme, à moins qu'il ne soit déjà mentionné dans le titre du rapport.

Si un mot comme **livre** ou **cahier** paraît sur la page titre du document, utiliser cette terminologie plutôt que **vol**.

Ne pas indiquer le numéro de volume dans les références ultérieures. Toutefois, pour faire référence à un autre volume du rapport dans une référence ultérieure, indiquer le numéro du volume pour éviter toute confusion.

Canada, Commission d'enquête sur le programme de commandites et les activités publicitaires, *Qui est responsable ? Rapport factuel*, Ottawa, Travaux publics et Services gouvernementaux Canada, 2005 à la p 14.

Pour faire référence à un rapport publié dans des volumes distincts portant des titres différents, indiquer la référence complète pour chaque division, séparées d'un point-virgule. Indiquer le titre du volume comme si c'était un sous-titre du document (précédé d'un deux-points).

Indiquer le volume (ou le livre ou le cahier) après le titre abrégé dans les références ultérieures.

Rapport de la Commission d'enquête sur la situation de la langue française et sur les droits linguistiques au Québec : la langue de travail, **livre 1**, Québec, Éditeur officiel, 1972 aux pp 150, 300; *Rapport de la Commission d'enquête sur la situation de la langue française et sur les droits linguistiques au Québec : les droits linguistiques*, **livre 2**, Québec, Éditeur officiel, 1972 à la p 38.

4.2.4 Documents de conférences intergouvernementales

Conférence **ou** comité, | *titre*, | numéro du document, | lieu de la conférence, | date de tenue de la conférence.

Indiquer le nom complet de la conférence ou du comité, suivi du titre du document et du numéro du document.

Indiquer le lieu et la date complète de la conférence.

Réunion fédérale-provinciale-territoriale des ministres responsables de la justice, *Groupe de travail fédéral-provincial-territorial sur la provocation, Rapport intérimaire*, Doc 830-600/020, Montréal, 4–5 décembre 1997.

Conférence fédérale-provinciale des Premiers ministres, *Compte rendu textuel de la Conférence fédérale-provinciale des Premiers ministres sur les questions constitution-nelles intéressant les autochtones*, Doc 800-18/004, Ottawa, 8–9 mars 1984.

4.2.5   Documents intergouvernementaux

4.2.5.1 Modèle de base

Titre, | date, | référence précise, | en ligne : | *titre du site internet* | <URL> | [URL archivée].

La majorité des documents intergouvernementaux sont disponibles en ligne en format PDF. Fournir l'URL conformément aux règles prévues à la section 6.19.

Accord de coopération et d'échanges entre le gouvernement du Québec et le gouvernement de l'Ontario en matière d'affaires francophones, 2 juin 2006, art 2, en ligne (pdf) : *Secrétariat aux affaires intergouvernementales canadiennes* <www.saic.-gouv.qc.ca/francophonie-canadienne/politique/accords-cooperation/accord-ontario.pdf> [perma.cc/B8U4-N2TR].

Convention de la Baie-James et du Nord québécois et conventions complémentaires, 11 novembre 1975, art 28.3.4, en ligne (pdf) : *Association des employés du nord québécois*, <www.aenq.org> [perma.cc/KA58-QSB9].

4.2.5.2 Traités autochtones et accords de revendications territoriales

Les versions électroniques des traités autochtones sont disponibles sur le site internet du gouvernement du Canada dans la section des Affaires autochtones et du Nord : <www.aadnc-aandc.gc.ca/fra>. Même en l'absence de références ultérieures, fournir la forme abrégée des traités numérotés.

Traité N° 3 conclu entre Sa Majesté la Reine et la tribu des Saulteux de la nation des Ojibeways et un point situé à l'angle Nord-Ouest du lac des Bois et adhésions à ce dernier, 3 octobre 1873, en ligne : *Gouvernement du Canada* <www.aadnc-aadnc.gc.ca> [perma.cc/K2PK-UA25] [*Traité 3*].

Indiquer le titre complet du traité ou de l'accord. Ne pas inclure la date du traité si elle fait déjà partie du titre.

Traité N° 8 conclu le 21 juin 1899 et adhésions, rapports et autres, 21 juin 1899, en ligne : *Gouvernement du Canada* <www.aadnc-aandc.gc.ca> [perma.cc/YV7Y-GBHT] [*Traité 8*].

Accord entre les Inuit de la région du Nunavut et Sa Majesté la Reine du chef du Canada, 25 mai 1993, en ligne (pdf) : *Gouvernement du Canada* <publications.gc.ca> [perma.cc/5UF7-DH5R].

5 Documentation internationale F-67

5 DOCUMENTATION INTERNATIONALE

5.1 TRAITÉS ET DOCUMENTS INTERNATIONAUX

5.1.1 Traités, documents des Nations Unies et autres accords internationaux

Titre, | parties (s'il y a lieu), | date de signature, | recueil de traités | référence précise, | (date d'entrée en vigueur | renseignements supplémentaires).

Indiquer le titre complet du traité. Si le nom des parties à un traité bilatéral n'est pas indiqué dans le titre, écrire la version courte (mais non abrégée) du nom des parties après le titre, entre virgules. Inclure le nom des parties à un traité multilatéral à la fin de la référence, si nécessaire.

Indiquer la date de la première signature du traité ou de son ouverture à la signature. Indiquer la date d'entrée en vigueur entre parenthèses à la fin de la référence.

Écrire la référence du recueil de traités après la date. À la suite de la citation de la série des traités, il est possible de fournir une référence parallèle à d'autres recueils de traités et de suivre l'ordre des recueils suivant : (1) *Recueil de traités des Nations Unies* [**RTNU**] ou *Recueil de traités de la Société des Nations* [**RTSN**], (2) recueils de traités officiels des États pertinents (par ex. *Recueil des traités du Canada* [**RT Can**], *United Kingdom Treaty Series* [**UKTS**]) et (3) autres recueils de traités et accords internationaux. Fournir une référence parallèle aux *International Legal Materials* [**ILM**] si possible. Consulter **l'annexe A-5** pour la liste des abréviations des organismes internationaux.

Fournir des renseignement supplémentaires à la fin de la référence, après la date d'entrée en vigueur, si nécessaire (par ex. le nom des parties au traité, le nombre de ratifications et le statut de certains États).

Traité sur l'extradition, Espagne et Costa Rica, 23 octobre 1997, 2025 RTNU 251 (entrée en vigueur : 30 juillet 1998).

Convention de sauvegarde des droits de l'homme et des libertés fondamentales, 4 novembre 1950, 213 RTNU 221 à la p 233 (entrée en vigueur : 3 septembre 1953) [*Convention européenne des droits de l'homme*].

Pacte international relatif aux droits civils et politiques, 19 décembre 1966, 999 RTNU 171 arts 9–14 (entrée en vigueur : 23 mars 1976, accession du Canada 19 mai 1976) [*PIDCP*].

Accord de libre-échange nord-américain entre le gouvernement du Canada, le gouvernement des États-Unis et le gouvernement du Mexique, 17 décembre 1992, RT Can 1994 n° 2 (entrée en vigueur : 1er janvier 1994) [*ALÉNA*].

Accord général sur les tarifs douaniers et le commerce, 30 octobre 1947, 58 RTNU 187 (entrée en vigueur : 1er janvier 1948) [*GATT de 1947*].

5.1.1.1 Référence neutre des traités australiens

Le gouvernement australien du Commonwealth a adopté sa propre méthode de référence neutre pour les traités, qui doit accompagner toute référence à un recueil imprimé. Introduire la référence neutre après le titre du traité et la date de signature. Indiquer l'année de publication entre crochets, suivie de l'identifiant du recueil et du numéro de document.

> *Agreement on the Conservation of Albatrosses and Petrels*, 19 juin 2001, **[2004]** ATS 5.

5.1.2   Documents des Nations Unies

Chaque document des Nations Unies ne contient pas toujours tous les éléments inclus dans les exemples ci-dessous. Adapter les références de manière à ce qu'elles fournissent les renseignements nécessaires à l'identification du document. Consulter **l'annexe A-5** pour la liste des abréviations des organismes internationaux.

5.1.2.1 Charte des Nations Unies

Une référence complète n'est pas nécessaire pour la *Charte des Nations Unies*. Il est possible de faire référence à la *Charte* de la façon suivante : *Charte des Nations Unies*, **26 juin 1945, RT Can 1945 nº 7.**

5.1.2.2 Documents officiels

Les documents officiels publiés par les organes des Nations Unies se divisent en trois parties, soit les **séances**, les **suppléments** et les **annexes**. Faire référence aux documents officiels en inscrivant Doc off avant l'acronyme de l'organe qui en est responsable.

Fournir le nom complet des organes de l'ONU qui n'ont pas d'acronyme officiel.

5.1.2.2.1 Séances

> Doc off et acronyme de l'organe responsable, | numéro de sess ou nombre d'années écoulées depuis la création de l'organe ou année civile, | numéro de séance, | numéro de document de l'ONU et (numéro de vente) | (année du document) | référence précise | [provisoire].

Indiquer Doc off pour **Documents officiels**, suivi de **l'abréviation de l'organe des Nations Unies** et de la mention NU, si elle ne fait pas déjà partie de l'acronyme de l'organe.

Fournir le **numéro de session** après le nom de l'organe ou de la mention NU. Si le numéro n'est pas disponible, indiquer **le nombre d'années écoulées depuis la création de l'organe**. Si ni l'une ni l'autre des informations ne sont disponibles, indiquer **l'année civile**.

Indiquer le **numéro de séance** après le numéro de session. Indiquer le **numéro de document** après le numéro de séance. Si un document a plusieurs numéros, indiquer chacun d'entre eux, séparés par des virgules. Indiquer le numéro de vente (s'il y a lieu) entre parenthèses après le numéro de document.

Indiquer l'année civile du document entre parenthèses après le numéro de document si elle n'a pas été mentionnée précédemment dans la référence. Indiquer qu'un document est provisoire en ajoutant [provisoire] à la fin de la référence.

> Doc off CCED CNUCED, 23e sess, 565e séance, Doc NU TD/B/SR.565 (1981).
> Doc off CS NU, 53e année, 3849e séance, Doc NU S/PV.3849 (1998) [provisoire].
> Doc off CES NU, 1984, 23e séance plén, Doc NU E/1984/SR.23.

5.1.2.2.2 Suppléments

Les résolutions, les décisions et les rapports de l'ONU paraissent dans des suppléments aux documents officiels.

> Auteur, | *titre*, | Rés ou Déc et organe et no, | Doc off, | session ou année de l'organe ou année civile, | numéro de supp, | numéro de document de l'ONU | (année civile) | 1re page | référence précise.

Pour les rapports, indiquer l'auteur avant le titre, s'il n'est pas déjà mentionné dans celui-ci.

> *Rapport du Secrétaire général Boutros-Ghali sur les travaux de l'Organisation*, Doc off AG NU, 46e sess, supp n° 1, Doc NU A/46/1 (1991).
> Commission on Crime Prevention and Criminal Justice, *Report on the Ninth Session*, Doc off CES NU, 2000, supp n° 10, Doc NU E/2000/30.

Pour faire référence à une décision ou une résolution, indiquer le numéro de décision ou de résolution après le titre.

> *Déclaration universelle des droits de l'Homme*, Rés AG 217A (III), Doc off AG NU, 3e sess, supp n° 13, Doc NU A/810 (1948) 71.
> *Protection of the heritage of indigenous people*, Déc CES 1998/277, Doc off CES NU, 1998, supp n° 1, Doc NU E/1998/98 113 à la p 115.

Indiquer **Doc off** pour **Documents officiels**, suivi de **l'abréviation de l'organe des Nations Unies** et de la mention **NU**, si celle-ci ne fait pas partie de l'acronyme de l'organe. Pour les résolutions et les décisions, indiquer cette information après le numéro de résolution ou de décision. Pour les rapports, indiquer cette information immédiatement après le titre du rapport.

Indiquer le **numéro de session**. S'il n'est pas disponible, indiquer le **nombre d'années écoulées depuis la création de l'organe**. Si ni l'une ni l'autre des informations ne sont disponibles, indiquer **l'année civile**. Après la session, faire référence au **numéro de supplément** et au **numéro de document**. Indiquer l'année civile du document entre parenthèses après le numéro de document, si elle n'est pas déjà mentionnée dans la référence. Placer ensuite le numéro de la première page du document et la référence précise, s'il y a lieu. Si aucune information n'est indiquée entre le numéro de document et le numéro de page, placer une virgule après le numéro de document afin d'éviter toute confusion.

5.1.2.2.3 Annexes

> *Titre*, | Doc off et acronyme de l'organe responsable | numéro de sess ou année de l'organe ou année civile, | annexe, point numéro, | numéro de document de l'ONU | (année civile) | 1re page | référence précise.

Indiquer le titre en italique, suivi d'une référence aux documents officiels de l'organe responsable.

Si **le numéro de session** n'est pas disponible, indiquer **le nombre d'années écoulées depuis la création de l'organe**. Si ni l'une ni l'autre des informations ne sont disponibles, indiquer **l'année civile**.

Indiquer **l'annexe** et le point d'ordre du jour, suivis du numéro de document.

Si l'année civile n'a pas été précédemment indiquée, l'inscrire entre parenthèses après le numéro de document. Placer ensuite le numéro de la première page du document si celui-ci fait partie d'une collection reliée, suivi d'une référence précise s'il y a lieu. Si aucune information n'est indiquée entre le numéro de document et le numéro de page, placer une virgule après le numéro de document afin d'éviter toute confusion.

> *Protectionism and Structural Adjustment*, Doc off CNUCED CCED, 32e sess, annexe, point 6, Doc NU TD/B/1081 (1986) 23.
>
> *URSS : Projet de résolution*, Doc off CES NU, 3e année, 7e sess, annexe, point 7, Doc NU E/884/Rev.1 (1948) 29 au para 3.

5.1.2.3 Documents à en-tête de l'Organisation des Nations Unies (Documents miméographiés)

> Nom du corps, | nom du sous-corps ou de la commission | auteur, | *titre*, | session, réunion, supplément, | Doc NU No, | date | référence précise | [*titre abrégé*].

La forme miméographique est officielle, mais ne devrait être citée que si le document n'est pas publié dans les documents officiels. Les documents miméographiés sont disponibles sur le site <documents.un.org>. Il est improbable qu'un document indique tous les éléments listés ci-haut. L'élément le plus important est le **Doc NU No**, puisque ceci est le moyen de recherche en ligne le plus facile, suivi du nom du corps, du titre et de la date. Les autres éléments sont moins essentiels, mais doivent être inclus s'ils se trouvent sur la page couverture.

> NUCS, Commission du désarmement, *Questions about Arms Manufacturing in Eastern Iraq*, Doc NU S/CN.10/L.666 Juillet 1993.

5.1.2.4 Périodiques

Pour faire référence à un **périodique publié par l'ONU**, suivre les règles de référence aux périodiques énoncées à la section 6.1. Si le titre n'indique pas que le périodique est publié par les Nations Unies, ajouter NU et l'organe responsable de la publication entre parenthèses à la fin de la référence.

« Emplois rémunérés dans les activités non agricoles » (1989) 63:9 Bulletin mensuel de statistiques 12 (NU, Département des affaires économiques et sociales internationales).

5.1.2.5 Annuaires

Pour les **articles d'annuaires des Nations Unies**, suivre les règles des ouvrages collectifs à la section 6.3. Si possible, inclure le numéro de document. Indiquer les noms de l'auteur et du directeur s'ils sont disponibles.

« Report of the Commission to the General Assembly on the work of its thirty-ninth Session » (Doc NU A/42/10) dans *Yearbook of the International Law Commission 1987*, vol 2, partie 2, New York, NU, 1989 à la p 50 (Doc NUA/CN.4/SER.A/1987/Add.1).

5.1.2.6 Publications de vente

Faire référence aux **publications de vente** en utilisant les mêmes règles que pour les monographies (section 6.2).

NU, *Recommandations sur le transport des produits dangereux*, 9ᵉ éd, New York, NU, 1995 à la p 118.

5.1.3 Documents du Conseil de l'Europe

Conseil de l'Europe, | organe, | renseignements sur la session, | *titre*, | publication officielle, | autres renseignements | (année) | référence précise.

Indiquer **Conseil de l'Europe**, suivi de l'organe responsable. Abréger **Assemblée parlementaire** par **AP** et **Assemblée consultative** par **AC**. Fournir des renseignements sur la session, suivis du titre du document s'il y a lieu. Utiliser l'abréviation de la publication officielle.

Abréger *Comptes rendus des débats* par **Débats**.

Conseil de l'Europe, AP, 2001 sess ordinaire (1ʳᵉ partie), Débats, vol 1 (2001) à la p 67.

Abréger *Textes adoptés par l'Assemblée* par **Textes adoptés**.

Conseil de l'Europe, AC, 21ᵉ sess, partie 3, Textes adoptés, Rec 585 (1970) à la p 1.

Abréger *Ordres du jour et procès-verbaux* par **Ordres**.

Conseil de l'Europe, AC, 21ᵉ sess, partie 2, Ordres, 10ᵉ séance (1969) à la p 20.

Abréger *Documents de séance* par **Documents**.

Conseil de l'Europe, AP, 38ᵉ sess, *Déclaration écrite n° 150 sur la protection du site archéologique de Pompei*, Documents, vol 7, Doc 5700 (1987) à la p 1.

Abréger *Bulletin d'information sur les activités juridiques* par **Bull inf**. Suivre le modèle prévu à la section 6.1.

Conseil de l'Europe, Comité des Ministres, *Recommandation R(82)1*, (1980) 12 Bull inf 58.

5.1.4   Documents de l'Organisation des États américains

OÉA, | organe, | numéro de session, | *titre*, | numéro de document | (année) | référence précise.

Les documents de l'OEA n'ont pas d'auteur. Indiquer l'organe responsable du document, à moins que le nom ne soit indiqué dans le titre du document.

s'il y a lieu, indiquer le numéro de session ou le numéro de séance après avoir indiqué l'organe responsable du document.

Écrire **Doc off** (Documents officiels) devant le numéro du document commençant par **OEA**. Le numéro du document débute avec les trois lettres **OEA** (Organización de los Estados Americanos) et non pas OÉA ou OAS.

OÉA, Assemblée générale, 2e sess, *Draft Standards Regarding the Formulation of Reservations to Multilateral Treaties*, Doc off OEA/Ser.P/AG/Doc.202 (1972).

OÉA, Commission interaméricaine des Droits de l'Homme, *Draft of the Inter-American Declaration on the Rights of Indigenous Peoples*, Doc off OEA/Ser.L/V/II.90/Doc.14, rev. 1 (1995) à la p 1.

5.1.5   Documents de l'Organisation mondiale du commerce (OMC) et de l'*Accord général sur les tarifs douaniers et le commerce* (GATT)

OMC ou GATT, | *titre*, | numéro de Déc, Rec ou Doc, | numéro de session, | IBDD | service électronique.

OMC, Conseil général, *Compte rendu de la réunion* (tenue le 22 novembre 2000), OMC Doc WT/GC/M/60, en ligne : *OMC* <docsonline.wto.org>.

Les décisions et les recommandations n'ont pas d'auteur. Indiquer le GATT, l'OMC et les organes plus précis comme responsables des rapports à moins que le nom ne soit indiqué dans le titre du rapport. Indiquer le numéro de décision ou de recommandation. S'il n'y a pas de numéro, indiquer la date complète de la décision ou de la recommandation. **PC** désigne **Parties contractantes**, **Déc** désigne **Décision** et **Rec** désigne **Recommandation**.

Accession of Guatemala, GATT PC Déc L/6824, 47e sess, supp n° 38 IBDD (1991) 16.

Liberté de contrat en matière d'assurance, GATT PC Rec du 27 mai 1959, 15e sess, supp n° 8 IBDD (1960) 26.

Si possible, se référer aux **Instruments de base et documents divers** (IBDD) du GATT. Si un rapport est publié indépendamment, sans numéro de document, suivre les règles pour les monographies (section 6.2) (par ex. **GATT**, *Les marchés internationaux de la viande : 1990/91*, **Genève, GATT, 1991**).

Report of the Panel adopted by the Committee on Anti-Dumping Practices on 30 October 1995, GATT Doc ADP/137, supp n° 42 IBDD (1995) 17.

OMC, *Rapport du groupe de travail sur l'accession de la Bulgarie*, OMC Doc WT/ACC/BGR/5 (1996), en ligne : *OMC* <docsonline.wto.org>.

5.1.6 Documents de l'Organisation de coopération et de développement économiques (OCDE)

OCDE, organe, | *titre,* | titre de la série, | numéro du document de travail, | numéro du document | (renseignements sur l'édition).

Indiquer **OCDE** et l'organe particulier, suivi du titre en italique. Si le document fait partie d'une série, fournir le titre de la série.

OCDE, *Japon (n° 34)*, Examens en matière de coopération pour le développement, Paris, ODCE, 1999.

Si le document est un document de travail, fournir le numéro du document de travail (s'il y a lieu) ainsi que le numéro du document de l'OCDE. Noter que le numéro de document débute avec **OCDE** en français et en anglais.

OCDE, Département économique, *Pour une croissance écologiquement durable en Australie*, Document de travail n° 309, n° de doc ECO/ WKp(2001) 35 (2001).

Indiquer les renseignements sur l'édition. Si la seule information disponible est la date, mettre cette date entre parenthèses. Dans le cas d'un périodique, indiquer la date la plus précise possible.

OCDE, *Données OCDE sur l'environnement : Compendium 1995* (1995).

5.2 JURISPRUDENCE

Voir **l'annexe A-5** pour une liste des abréviations des organismes internationaux et de leurs recueils.

5.2.1 Cour permanente de Justice internationale (1922–1946)

Faire référence aux lois et aux règles de la CPJI par le titre, le numéro de recueil et le nom de l'édition, suivis de la première page ou du numéro de document (par ex. *Revised Rules of the Court* (1926), CPJI 33 (sér D) n° 1).

5.2.1.1 Arrêts, ordonnances et avis consultatifs

Intitulé (nom des parties) | (année), | type de décision, | recueil | numéro | référence précise.

Les **arrêts de la CPJI** sont publiés dans la *Série A : Recueil des arrêts* (**CPJI (sér A)**) et dans la *Série A/B : Arrêts, ordonnances et avis consultatifs* (**CPJI (sér A/B)**). Ne pas préciser le type de décision.

> *Affaire des zones franches de la Haute-Savoie et du pays de Gex (France c Suisse)* (1932), CPJI (sér A/B) n° 46 à la p 167.

Les **ordonnances de la CPJI** sont publiées dans la *Série A/B : Arrêts, ordonnances et avis consultatifs* (**CPJI (sér A/B)**). Ne pas indiquer l'année après l'intitulé, mais fournir la date complète après le type de décision (**Ordonnance du** jour | mois | année).

> *Chemin de fer Panevezys-Saldutiskis (Estonie c Lituanie)*, **Ordonnance du 30 juin 1938**, CPJI (sér A/B) n° 75 à la p 8.

Les **avis consultatifs de la CPJI** sont publiés dans la *Série B : Recueil des avis consultatifs* (**CPJI (sér B)**) et dans la *Série A/B : Arrêts, ordonnances et avis consultatifs* (**CPJI (sér A/B)**). Ne pas indiquer le nom des parties après l'intitulé.

> *Trafic ferroviaire entre la Lituanie et la Pologne* (1931), Avis consultatif, CPJI (sér A/B) n° 42 à la p 3.

5.2.1.2 Plaidoiries, exposés oraux et autres documents

> *Intitulé (nom des parties)*, | « titre du document précis » | (date du document), | recueil | numéro de décision, | 1re page | référence precise.

Faire référence à la série CPJI et indiquer le numéro de la décision. **Les plaidoiries**, **les exposés oraux** et **les autres documents avant 1931** sont publiés dans la *Série C : Actes et documents relatifs aux arrêts et aux avis consultatifs de la cour* (**CPJI (Sér C)**), et **les documents datant d'après 1931** dans la *Série C : Plaidoiries, exposés oraux et documents* (**CPJI (Sér. C)**). **Les documents de base**, **les annuaires** et **les indices** paraissent dans les séries D à F.

> *Affaire franco-hellenique des phares (France c Grèce)*, « Exposé oral de M le professeur Basdevant » (5 février 1934), CPJI (sér C) n° 74, 222 à la p 227.
>
> *Affaire Pajzs, Csáky, Esterházy (Hongrie c Yougoslavie)*, « Requête introductive d'instance » (1er décembre 1935), CPJI (sér C) n° 79, 10 à la p 12.

5.2.2   Cour internationale de Justice (1946 à aujourd'hui)

Faire référence aux lois et aux règles de la CIJ par le titre, le numéro de recueil et le nom de l'édition, suivis de la première page ou du numéro de document (par ex. *Travel and Subsistence Regulations of the International Court of Justice*, **[1947]** CIJ Acts & Doc 94).

5.2.2.1 Arrêts, ordonnances et avis consultatifs

Les arrêts, les ordonnances et les avis consultatifs de la Cour internationale de Justice sont publiés dans le recueil officiel de la cour : **Recueil des arrêts, avis consultatifs et ordonnances** (**CIJ Rec**). Se référer au site internet de la CIJ <www.icj-cij.org> pour accéder aux arrêts, aux ordonnances et aux avis consultatifs qui ne sont pas encore publiés. Pour la référence aux sources électroniques, suivre les règles prévues à la section 1.6.

> *Intitulé (nom des parties)*, | type de décision, | [année du recueil] | recueil | première page | référence précise.

Bien que le recueil de la CIJ sépare parfois le nom des parties par une barre oblique (*El Salvador/Honduras*), remplacer la barre oblique par un *c* (*El Salvador c Honduras*).

Arrêts : Ne pas préciser le type de décision.

> *Affaire relative au Timor oriental (Portugal c Australie)*, [1995] CIJ Rec 90 à la p 103.

Ordonnances : Fournir la date complète après le type de décision (**Ordonnance du** jour | mois | année).

> *Certaines activités menées par le Nicaragua dans la région frontalière (Costa Rica c Nicaragua)*, **Ordonnance du 8 mars 2011**, [2011] CIJ Rec 6.

Avis consultatifs : Ne pas indiquer le nom des parties après l'intitulé.

> *Licéité de l'utilisation des armes nucléaires par un État dans un conflit armé*, Avis consultatif, [1996] CIJ Rec 66 à la p 70.

5.2.2.2 Mémoires, plaidoiries et documents

> *Intitulé officiel (nom des parties)*, | « titre du document précis » | (date du document), | [année du recueil] | recueil et numéro de volume | 1re page | référence précise.

Faire référence au recueil et à la première page du document. La CIJ publie les mémoires et autres documents dans ***Mémoires, plaidoiries et documents* (CIJ Mémoires)**. Les mémoires sont disponibles sur le site internet de la CIJ : <www.icj-cij.org>.

S'il y a lieu, inclure un numéro de volume avant l'indication de la première page en chiffres arabes (par ex. **1, 2, 3**) et entre parenthèses. Après 1981, les mémoires n'indiquent pas la date de publication du recueil. Les volumes sont identifiés à partir du titre de la décision à laquelle le document se rapporte.

> *Affaire du droit de passage sur le territoire indien (Portugal c Inde)*, « Plaidoirie de Shri MC Setalvad » (23 septembre 1957), [1960] CIJ Mémoires (vol 4) 14 à la p 23.
>
> *Compétence en matière de pêcheries (Espagne c Canada)*, « Requête introductive d'instance par l'Espagne » (28 mars 1995), CIJ Mémoires 3.

5.2.3   Cour européenne des Droits de l'Homme et Commission européenne des Droits de l'Homme

5.2.3.1 Avant 1999

> *Intitulé* | (année de la décision), | numéro de volume | recueil | 1re page | référence précise, | référence parallèle.

Renvoyer aux publications officielles de la Cour et de la Commission : ***Cour européenne des Droits de l'Homme, Série A : Arrêts et décisions* (Cour Eur DH (Sér A))**, ***Recueil de décisions de la Commission européenne des Droits de l'Homme* (Comm Eur DH Rec** (de 1960 à 1974)) et ***Décisions et rapports de la Commission européenne des Droits de l'Homme* (Comm Eur DH DR** (de 1975 à 1999)). Si possible, fournir une référence parallèle à l'***Annuaire de la***

Convention européenne des Droits de l'Homme (Ann Conv Eur DH) ou aux *European Human Rights Reports* (EHRR).

> *Kurt c Turquie* (1998), 74 CEDH (Sér A) 1152, 27 EHRR 373.
>
> *Spencer c Royaume-Uni* (1998), 92A Comm Eur DHDR 56, 41 YB Eur Conv HR 72.

5.2.3.2 À partir de 1999

Le Protocole n° 11 à la *Convention de sauvegarde des Droits de l'Homme et des Libertés fondamentales*, en vigueur depuis le 1er novembre 1998, a remplacé l'ancienne cour et l'ancienne commission par une nouvelle cour permanente.

> *Intitulé,* | numéro de demande, | [année] | numéro de volume | recueil | 1re page, | référence parallèle.

Indiquer [GC] entres crochets après l'intitulé et avant la virgule, si l'arrêt ou la décision a été rendu par la Grande Chambre de la Cour.

Indiquer entre parenthèses après l'intitulé et avant la virgule s'il y a lieu : (déc) pour une **décision sur la recevabilité**, (exceptions préliminaires) pour un arrêt portant uniquement sur des **exceptions préliminaires**, (satisfaction équitable) pour un arrêt portant uniquement sur la **satisfaction équitable**, (révision) pour un arrêt de **révision**, (interprétation) pour un arrêt d'**interprétation**, (radiation) pour un arrêt **rayant l'affaire du rôle**, ou (règlement amiable) pour un arrêt sur un **règlement amiable**.

S'il existe **plus d'un numéro de demande**, inclure uniquement le premier numéro. Pour les **décisions non publiées**, indiquer le numéro de demande, suivi de la date du jugement (par ex. *Roche c Royaume-Uni* **[GC], n° 32555/96 (19 octobre 2005)**).

> *Allard c Suède,* n° 35179/97, [2003] VII CEDH 207, 39 EHRR 321.
>
> *Chypre c Turquie,* n° 25781/94, [2001] IV CEDH 1, 35 EHRR 731.

5.2.4   Cour interaméricaine des Droits de l'Homme

5.2.4.1 Jugements, ordonnances et avis consultatifs

> *Intitulé (nom de l'État impliqué)* | (année de la décision), | type de décision et numéro, | recueil | numéro de la décision | référence précise, | référence parallèle.

Inscrire l'intitulé. Si la cause implique un État individuel, indiquer le nom de cet État entre parenthèses. Fournir l'année de la décision entre parenthèses. Indiquer le recueil et le numéro de la décision. Fournir une référence parallèle au **rapport annuel de la Cour**, aux *International Legal Materials* (ILM) ou à l'*Inter-American Yearbook on Human Rights*.

La Cour interaméricaine des Droits de l'Homme publie ses **jugements** dans *Inter-American Court of Human Rights, Series C: Decisions and Judgments* (**Inter-Am Ct HR (sér C)**). Ne pas indiquer le type de décision.

Affaire Neira Alegría (Pérou) (1996), Inter-Am Ct HR (sér C) n° 29 au para 55, *Annual Report of the Inter-American Court of Human Rights: 1996*, OEA/Ser.L/V/ III.19/doc.4 (1997) 179.

La Cour interaméricaine des Droits de l'Homme publie ses **avis consultatifs** dans *Inter-American Court of Human Rights, Series A: Judgments and Opinions* (**Inter-Am Ct HR (sér A)**). Indiquer si le document est un **avis consultatif** et fournir le numéro de la décision.

Reports of the Inter-American Commission on Human Rights (Art 51 of the American Convention on Human Rights) (Chili) (1997), Avis consultatif OC-15/97, Inter-Am Ct HR (sér A) n° 15 au para 53, *Annual Report of the Inter-American Commission on Human Rights: 1997*, OEA/ Ser.L/V/III.39/doc.5 (1998) 307.

5.2.4.2 Mémoires, plaidoiries et documents

Intitulé (nom de l'État impliqué), | type de décision et numéro, | « titre du document » | (date du document), | recueil et (série) | 1re page, | référence précise.

Inscrire l'intitulé. Si l'information n'est pas déjà présente dans l'intitulé, indiquer le nom de l'État impliqué entre parenthèses. Indiquer si la décision est un **avis consultatif** et fournir le numéro de la décision. Indiquer le recueil et la première page de la décision. La Cour interaméricaine des Droits de l'Homme publie les mémoires, les plaidoiries et d'autres documents dans *Inter-American Court of Human Rights Series B: Pleadings, Oral Arguments and Documents* (**Inter-Am Ct HR (Sér B)**).

Proposed Amendments to the Naturalization Provisions of the Constitution of Costa Rica, Avis consultatif OC-4/84, « Verbatim Record of Public Hearing » (7 septembre 1983), Inter-Am Ct HR (Sér B) 203.

5.2.5   Commission interaméricaine des Droits de l'Homme

Intitulé | (année du jugement), | Inter-Am Comm HR, | numéro de la décision | référence précise, | *rapport annuel,* | numéro du document.

Les décisions de la Commission interaméricaine des Droits de l'Homme sont publiées dans ses rapports annuels. Faire référence au recueil annuel de la Commission et indiquer son numéro de document. Le numéro de document des publications de l'Organisation des États américains débute toujours avec **OEA** (Organización de los Estados Americanos) et non OÉA, quelle que soit la langue du document.

Sánchez c Mexico (1992), Inter-Am Comm HR, No 27/92, *Annual Report of the Inter-American Commission on Human Rights : 1992–93*, OEA/Ser.L/V/ II.83/doc.14 104.

5.2.6   Tribunaux de droit pénal international

Cette section s'applique aux documents provenant de la Cour pénale internationale, du Tribunal pénal international pour l'ex-Yougoslavie, du Tribunal pénal international pour le Rwanda, du Tribunal spécial pour la Sierra Leone et des Groupes d'enquête sur les crimes graves du Timor oriental.

> *Intitulé*, | numéro de l'affaire, | titre du document (version) | numéro de la décision | référence précise | (tribunal), | référence parallèle.

> *Deputy General Prosecutor for Serious Crimes v Sito Barros*, 01/2004, Jugement final (12 mai 2005) au para 12 (Groupes d'enquête sur les crimes graves (Timor-Leste)), en ligne : *Judicial System Monitoring Program* <www.jsmp.tl/en>.

Indiquer le **prénom** de l'accusé dans l'intitulé, s'il y a lieu. S'il y a plus d'un accusé, indiquer uniquement le nom du premier accusé.

Inclure les **désignations informelles**, si désiré, entre parenthèses après le titre.

> *Le Procureur c Zdravko Mucic (Jugement Celebici)*, IT-96-21-*Abis*, Arrêt relatif à la sentence (8 avril 2003) au para 8 (Tribunal pénal international pour l'ex-Yougoslavie, Chambre d'appel) (WL).

Le titre du document indique sa fonction. Noter si le renvoi est la **version publique** du document ou la **version confidentielle** dont l'accès est limité au public. Suivre les directives fournies à la section 1.6 pour une référence à un site internet. Certains sites internet officiels des organismes judiciaires ne publient qu'une portion limitée des documents disponibles, alors que d'autres bases de données en ligne commerciales offrent une sélection de documents plus étendue. Si le nom du site internet est le même que celui du tribunal, indiquer uniquement les initiales pour identifier le site internet.

> *Le Procureur c Théoneste Bagosora*, ICTR-98-41-T, Procès-verbal d'audience (2 avril 2002) (Tribunal pénal international pour le Rwanda, Chambre de première instance), en ligne : *TPIR* <www.unictr.org>.

5.2.7 Groupes spéciaux de l'*Accord général sur les tarifs douaniers et le commerce* (GATT) 1947

> *Intitulé (plainte(s))* | (année du document), | numéro de document GATT, | numéro IBDD et (année) | 1re page | référence précise, | référence parallèle.

Se référer aux **IBDD** (***Instruments de base et documents divers***) du GATT en indiquant le numéro de volume suivi de **IBDD**, de l'année entre parenthèses et de la première page du document.

> *République de Corée – Restrictions à l'importation de la viande de bœuf (Plainte de la Nouvelle-Zélande)* (1989), GATT Doc L/6505, Supp n° 36 IBDD (1988-89) 234, en ligne : *OMC* <www.wto.org>.
>
> *États-Unis – Droits compensateurs sur la viande de porc fraîche, réfrigérée et congelée en provenance du Canada (Plainte du Canada)* (1991), GATT Doc DS7/R, Supp n° 38 IBDD (1990-91) 30, en ligne : *OMC* <www.wto.org>.

5.2.8 Rapports de Groupes spéciaux et de l'Organe d'appel de l'Organisation mondiale du commerce (OMC)

Intitulé (plainte(s)) | (année de la décision) | numéro du document de l'OMC | référence précise | (type de rapport), | référence parallèle.

Fournir l'intitulé du rapport, suivi du nom de l'auteur ou des auteurs de la plainte. Si les plaintes sont étudiées dans **un seul rapport**, indiquer les noms de tous les États ayant déposé une plainte après l'intitulé du rapport. Si plusieurs États ont déposé des plaintes **traitées séparément**, indiquer le nom de l'État visé par le rapport. Si plus de trois États ont déposé la plainte, indiquer le nom d'un seul État, suivi de **et al.**

Fournir le numéro du document. Un rapport peut avoir plusieurs numéros de document (par ex. **WT/DS 8, 10, 11/AB/R**). Dans le numéro du document, les lettres **WT-/DS** indiquent un **World Trade Dispute Settlement**, **AB** représente l'abréviation d'*Appellate Body* et **R** indique un **rapport**. Si un rapport est destiné à un État particulier parmi plusieurs ayant déposé une plainte, l'abréviation du nom de cet État apparaît dans le numéro de document (par ex. **OMC doc WT/DS27/R/USA**).

États-Unis – Articles 301 à 310 de la Loi de 1974 sur le commerce extérieur (Plainte des communautés européennes) (1999), OMC Doc WT/DS152/R au n° 3.1 (Rapport du Groupe spécial), en ligne : *OMC* <docs.wto.org> [perma.cc/U4TY-NESC].

Inde – Protection conférée par un brevet pour les produits pharmaceutiques et les produits chimiques pour l'agriculture (Plaintes des États-Unis) (1997), OMC Doc WT/DS50/AB/R (Rapport de l'Organe d'appel), en ligne : *OMC* <docs.wto.org>. [perma.cc/QJY2-HVDW]

5.2.9 Rapports de Groupes spéciaux de l'Accord de libre-échange canado-américain

Intitulé | (année de la décision), | numéro de document, | recueil | (Groupe spécial), | référence parallèle.

Faire référence à un recueil imprimé si possible. Fournir des renseignements pour le chapitre sous lequel la plainte a été soumise. Abréger les divers groupes spéciaux de la façon suivante : **Groupe spéc ch 18** pour **Groupe spécial créé en vertu du chapitre 18**, **Groupe spéc ch 19** pour **Groupe spécial créé en vertu du chapitre 19** et **Comité pour cont extr** pour **Comité pour contestation extraordinaire**.

Re Framboises rouges du Canada (1990), USA-89-1904-01, 3 TCT 8175 (Groupe spéc c 19), en ligne : *Secrétariat de l'ALÉNA* <www.nafta-sec-alena.org>.

Re Porc frais, frigorifié et congelé du Canada (1991), ECC-91-1904-01 USA (Comité cont extr), en ligne : *Secrétariat de l'ALÉNA* <www.nafta-sec-alena.org>.

5.2.10   Rapports de Groupes spéciaux de l'Accord de libre-échange nord-américain (ALÉNA)

> *Intitulé (nom des parties)* | (année de la décision), | numéro du document | (groupe spécial), | référence parallèle.

> *Re Certains produits de bois d'œuvre résineux du Canada (États-Unis c Canada)* (2005), ECC-2004-1904-01USA (Comité cont extr), en ligne : *Secrétariat de l'ALÉNA* <www.nafta-sec-alena.org>.
>
> *Re Polystyrène et cristal impact en provenance des États-Unis d'Amérique (États-Unis c Mexique)* (1995), MEX-94-1904-03 (Groupe spéc ch 19), en ligne : *Secrétariat de l'ALÉNA* <www.nafta-sec-alena.org>.
>
> *Re Tarifs douaniers appliqués par le Canada sur certains produits agricoles en provenance des États-Unis d'Amérique (États-Unis c Canada)* (1996), CDA-95-2008-01 (Groupe arb ch 20), en ligne : *Secrétariat de l'ALÉNA* <www.nafta-sec-alena.org>.

Fournir des renseignements sur le chapitre dans lequel la plainte a été soumise. Abréger les noms des groupes spéciaux de la façon suivante : **Groupe spéc ch 19** pour **Groupe spécial binational créé en vertu du chapitre 19**, **Groupe arb ch 20** pour **Groupe arbitral créé en vertu du chapitre 20**, et **Comité cont extr** pour **Comité pour contestation extraordinaire**.

5.2.11   Décisions d'arbitrage international

> *Intitulé* ou numéro de la décision | (année de la décision), | recueil, | référence précise | (cadre) | (arbitres).

> *Southern Pacific Properties c Egypt* (1992), 32 ILM 933 à la p 1008 (International Center for Settlement of Investment Disputes) (Arbitres : Dr Eduardo Jiménez de Aréchaga, Mohamed Amin El Mahdi, Robert F. Pietrowski Jr).

Fournir l'intitulé avec les noms des parties si elles sont divulguées. Si les parties sont anonymes, indiquer le numéro de la décision.

> Déc n° 6248 (1990), 19 YB Comm Arb 124 à la p 129 (International Chamber of Commerce).

Indiquer l'organisme qui a fourni le cadre ou le mécanisme d'arbitrage. Indiquer les noms des arbitres entre parenthèses à la fin de la référence (facultatif).

5.2.12 Décisions d'arbitrage de l'Organisation mondiale de la propriété intellectuelle (OMPI)

5.2.12.1 *Principes directeurs régissant le règlement uniforme des litiges relatifs aux noms de domaine (UDRP)*

Après l'intitulé, inclure le numéro du litige et le nom du domaine sur lequel porte la décision d'arbitrage.

Intitulé, | numéro du litige | <nom de domaine> | (Centre d'arbitrage et de médiation de l'OMPI (UDRP)).

CareerBuilder, LLC v Names for sale, D2005-0186 <careersbuilder.com> (Centre d'arbitrage et de médiation de l'OMPI (UDRP)).

5.2.13 Décisions de droit international prises devant des cours nationales

Intitulé, | recueil du pays d'origine, | recueil international | (pays et indication géographique).

Si une décision de portée internationale est rendue par une **cour nationale**, fournir une référence à un recueil du pays d'origine. Indiquer une référence à un recueil international tel que l'*Annual Digest and Reports of Public International Law Cases* (**Ann Dig ILC**), l'*International Law Reports* (**ILR**), les *Common Market Law Reports* (**CMLR**) ou le *Common Market Reporter* (**CMR**). En 1950, les Ann Dig ILC sont devenus les ILR.

Re Noble and Wolf, [1949] 4 DLR 375, [1948] Ann Dig ILC 302 (Can, CA Ont).

Lindon v Commonwealth of Australia (n° 2) (1996), 136 ALR 251, 118 ILR 338 (Austl, HC).

Institute of Chartered Accountants in England and Wales v Customs and Excise Commissioners, [1999] 2 All ER 449, [1999] 2 CMLR 1333 (R-U, HL).

6 DOCTRINE ET AUTRES DOCUMENTS

6.1 REVUES DE DROIT

6.1.1 Modèle de base

> Auteur, | « titre de l'article » | (année) | volume | : | numéro | abréviation du périodique | première page | référence précise | (service électronique).

Marie-Claude Prémont, « La fiscalité locale au Québec : de la cohabitation au refuge fiscal » (2001) 46 RD McGill 713 à la p 720 (QL).

6.1.2 Auteur

6.1.2.1 Un seul auteur

Indiquer le nom de l'auteur **tel qu'il paraît à la première page de l'article**. Inclure tous les noms et initiales utilisés. Ne pas mettre d'espace entre les initiales. Ne pas inscrire un nom lorsque des initiales sont utilisées et ne pas inclure d'intiales lorsqu'un nom est utilisé. Si le nom de l'auteur sur la page de couverture est précédé d'un **titre honorifique** tel que l'honorable, **Rabbin**, **Professeur** ou **Lord**, inclure ce titre dans la référence. Inclure également les **suffixes** tels que **Jr** ou **IV**. Ne pas indiquer les diplômes ou autres références.

Frédéric Bachand, « L'efficacité en droit québécois d'une convention d'arbitrage ou d'élection de for invoquée à l'encontre d'un appel en garantie » (2004) 83:2 R du B 515.

L'honorable Louis LeBel, « La protection des droits fondamentaux et la responsabilité civile » (2004) 49:2 RD McGill 231.

6.1.2.2 Coauteurs

Ne pas indiquer plus de trois auteurs. S'il y a **deux auteurs**, séparer les noms des auteurs par et. S'il y a **trois auteurs**, séparer les deux premiers noms par une virgule et écrire et avant le dernier nom. S'il y a **plus de trois auteurs**, indiquer le nom du premier auteur, suivi de et al. Pour les autres types de **collaborations,** suivre la formule utilisée sur la page titre.

Murielle Paradelle, Hélène Dumont et Anne-Marie Boisvert, « Quelle justice pour quelle réconciliation ? : Le Tribunal pénal international pour le Rwanda et le jugement du génocide » (2005) 50:2 RD McGill 359.

Armel Huet et al, *Capitalisme et industries culturelles*, Grenoble, Presses Universitaires de Grenoble, 1978.

6.1.3 Titre de l'article

Indiquer le titre de l'article **entre guillemets**. Ne pas mettre de virgule après le titre.

Séparer un titre d'un sous-titre à l'aide d'un deux-points (:). Respecter les règles des **majuscules** et de la **ponctuation** de la langue du titre. Peu importe la langue du titre, utiliser des guillemets français avant et après le titre (par ex. « **Titre** »).

> Ghislain Otis, « **Les sources des droits ancestraux des peuples autochtones** » (1999) 40:3 C de D 591.

Pour plus de détails concernant la langue et la ponctuation des titres, voir la section 6.2.3.

6.1.4 Année de publication

Si le périodique **est divisé en volumes numérotés**, indiquer la date de publication **entre parenthèses**.

> Michel Poirier, « La convention d'emphytéose peut-elle être à titre gratuit ? » **(1998)** 58 R du B 401.

Si le périodique **n'est pas divisé en volumes numérotés, mais en années**, indiquer l'année **entre crochets**.

> Frédéric Pollaud-Dulian, « À propos de la sécurité juridique » **[2001]** RTD civ 487.

6.1.5 Volume, numéro et série

Placer le **volume** après l'année de publication, suivi d'un deux-points et du **numéro** de la revue. Ne pas mettre d'espace ni avant ni après le deux-points. Puisque plusieurs bases de données en ligne ne fournissent pas le numéro, cet élément demeure facultatif. Le numéro est obligatoire uniquement lorsque les différents numéros d'un volume ne sont pas paginés consécutivement. Lorsque deux numéros sont publiés simultanément dans un même document, séparer ces numéros par une barre oblique (par ex. **6/7**).

Indiquer le volume et le numéro en chiffres arabes (par ex. **1, 2, 3**) même si la revue utilise des chiffres romains. Si une revue est aussi divisée en séries, indiquer entre parenthèses la **série** après le titre de la revue. Les abréviations des nombres ordinaux doivent apparaître en français dans la référence même si la revue est publiée dans une autre langue.

> RRA Walker, « The English Property Legislation of 1922—6 » (1928) **10:1** J Comp Legis & Intl L (3e) 1.

6.1.6 Titre du périodique

Abréger le titre du périodique selon la liste des abréviations prévue à l'**annexe D**. Si le périodique n'apparaît pas dans l'**annexe D**, appliquer les règles suivantes. Écrire au complet les mots qui n'apparaissent pas dans la liste ci-dessous. Les titres de périodiques anglais qui n'apparaissent pas dans l'**annexe D** doivent être abrégés selon les règles de la section anglaise de ce Guide.

☐ Annuaire/annales = Ann   ☐ Gazette = Gaz

☐ Association = Assoc   ☐ International = Intl

☐ Barreau = B   ☐ Journal = J

☐ Bulletin = Bull

☐ Juridique = Jur

☐ Canada ou canadien(ne) = Can

☐ Légal = Lég

☐ Civil = Civ

☐ Revue = R

☐ Criminel = Crim

☐ Social/société = Soc

☐ Droit = Dr

☐ Université = U

☐ Et = &

Omettre les mots « de/du », « un/une/des » et « le/la/les » dans les titres abrégés. Placer une espace entre deux mots ayant des caractères minuscules, et entre une esperluette et les mots ou lettres qui l'encadrent (par ex. Actu & dr int). Ne pas mettre d'espace entre des lettres majuscules adjacentes (par ex. RTD civ). Appliquer les abréviations de juridiction de la colonne des revues de l'**annexe A** pour les noms d'endroits. S'il n'y a pas de telle abréviation, écrire le nom du lieu au complet. Lorsqu'un journal a un sous-titre, omettre le sous-titre et n'abréger que le titre principal. Ne pas mettre l'abréviation ou le titre du périodique en italique.

> Will Kymlicka, « Federalism and Secession: At Home and Abroad » (2000) 13:2 Can JL & Jur 207.

6.1.7   Première page de l'article

Indiquer la première page de l'article après le titre de la revue. **Ne pas écrire** « p » ou « à la p ».

> Darren O'Toole, « La revendication du titre 'indien' par les Métis du Manitoba » (2006) 39:3 Revue canadienne de science politique/Canadian Journal of Political Science 529.

6.1.7.1 Articles publiés en parties

Si les parties de l'article ont été publiées dans **plusieurs volumes**, indiquer l'auteur et le titre, suivis de la référence complète pour chaque partie, séparées par et.

> RA Macdonald, « Enforcing Rights in Corporeal Moveables: Revendication and Its Surrogates » (1986) 31:4 RD McGill 573 et (1986) 32:1 RD McGill 1.

Si les parties de l'article ont été publiées dans **un même volume**, indiquer les premières pages de chaque partie, séparées par et.

> Roderick A Macdonald, « L'image du Code civil et l'imagination du notaire » (1995) 74 R du B can 97 et 330.

6.2   MONOGRAPHIES

6.2.1   Modèle de base

> Auteur, | *titre*, | édition, | autres éléments | lieu d'édition, | maison d'édition, | année d'édition | référence précise | (service électronique).

En règle générale, inclure les autres éléments entre l'édition et le lieu d'édition. Leur ordre de présentation est le suivant : **nom du traducteur** (section 6.2.2.4), **numéro du volume** (section 6.2.4), **titre du volume, titre d'une collection et numéro du volume dans cette collection** et **feuilles mobiles** (section 6.2.6). Ces éléments doivent être séparés par des virgules. Puisque certains de ces éléments doivent exceptionnellement être inclus à un emplacement différent de la référence, toujours consulter les règles spécifiques pour chacun des éléments. Si le livre est un ouvrage collectif, voir la section 6.3.

> Éric Canal-Forgues, *Le règlement des différends à l'OMC*, 3ᵉ éd, Bruxelles, Bruylant, 2008 à la p 53.
>
> J Anthony VanDuzer, *The Law of Partnerships and Corporations*, Toronto, Irwin Law, 2009 ch 2 (B) (3) (QL).
>
> Jean-Louis Baudouin et Yvon Renaud, *Code civil du Québec annoté*, 20ᵉ éd, Montréal, Wilson & Lafleur, 2017 à la note 7/3.

6.2.2 Auteur

6.2.2.1 Un seul auteur

Indiquer le nom de l'auteur **tel qu'il paraît sur la page titre** (et non sur la page couverture). Inclure tous les noms et initiales utilisés. Ne pas mettre d'espace entre les initiales. Ne pas inscrire un nom lorsque des initiales sont utilisées et ne pas inclure d'intiales lorsqu'un nom est utilisé. Si le nom de l'auteur sur la page de couverture est précédé d'un **titre honorifique** tel que **l'honorable, Rabbin, Professeur** ou **Lord**, inclure ce titre dans la référence. Inclure également les suffixes tels que **Jr** ou **IV**. Ne pas indiquer les diplômes ou autres références.

> **Sylvio Normand**, *Introduction au droit des biens*, 2ᵉ éd, Montréal, Wilson & Lafleur, 2014.
>
> **Jean-Pierre Baud**, *L'affaire de la main volée : une histoire juridique du corps*, Paris, Seuil, 1993 à la p 4.
>
> **Lucie Laflamme**, *Le partage consécutif à l'indivision*, Montréal, Wilson & Lafleur, 1999.
>
> **Lord Denning**, *What Next in the Law*, Londres, Butterworths, 1982.

6.2.2.2 Coauteurs

Séparer les noms des deux derniers auteurs par **et**.

> **Jacques Bourdon, Jean-Marie Pontier et Jean-Claude Ricci**, *Droit des collectivités territoriales*, Paris, Presses universitaires de France, 1987.

Ne pas indiquer plus de trois auteurs. S'il y en a plus, indiquer le nom du premier auteur, suivi de et al.

> **Joel Bakan et al**, *Canadian Constitutional Law*, 3ᵉ éd, Toronto, Emond Montgomery, 2003.

Pour les **autres types de collaborations** (par ex. **avec la collaboration de**), suivre la formule utilisée sur la page titre de la monographie.

Pierre-Gabriel Jobin avec la collaboration de Nathalie Vézina, *Baudouin et Jobin : Les obligations*, 6e éd, Cowansville (QC), Yvon Blais, 2005.

6.2.2.3 Directeur ou correcteur de l'ouvrage d'un autre auteur

Directeur, | dir, | *titre*, | édition, | renseignements sur l'édition.

Si le nom de l'auteur fait partie du titre, faire référence au directeur, suivi de **dir** entre virgules.

M Dupin, dir, *Oeuvres de Pothier*, 2e éd, Paris, Pichon-Béchet, 1835.

Auteur, | *titre*, | édition | par | directeur, | renseignements sur l'édition.

Si le nom de l'auteur ne fait pas partie du titre, mettre le nom du directeur après la mention de l'édition, et l'introduire avec **par**. S'il y a plusieurs éditions, indiquer le numéro (par ex. 8e **éd par**). Indiquer le(s) nom(s) du ou des auteur(s) et du ou des directeur(s) tels qu'ils apparaissent dans la publication.

Aubry et Rau, *Droit civil français*, 8e éd par André Ponsard et Ibrahim Fadlallah, Paris, Librairies techniques, 1989.

6.2.2.4 Traducteur

Traduire les textes en langues étrangères qui pourraient ne pas être connues des lecteurs. Le texte original d'une citation peut être inclus dans la note de bas de page.

6.2.2.4.1 Traduction professionnelle

Faire référence à une traduction professionnelle en indiquant le nom du traducteur avant les renseignements sur l'édition, introduit par **traduit par**. S'il est nécessaire de modifier la traduction, ajouter **[modifiée par l'auteur]** après les renseignements sur l'édition. Toujours inclure l'information sur le directeur ou le correcteur (section 6.2.2.3) avant l'information sur le traducteur (section 6.2.2.4).

Jürgen Habermas, *Droit et démocracie : entre faits et normes*, **traduit par** Rainer Rochlitz et Christian Bouchindhomme, Paris, Gallimard, 1997.

6.2.2.4.2 Traduction de l'auteur du texte (vous)

L'ajout **[notre traduction]** se réfère à l'auteur (vous) et non à l'auteur du texte cité. Traduire un passage tiré d'une source rédigée dans une autre langue que le français ou l'anglais. Insérer l'ajout **[notre traduction]** dans le corps même du texte, après les guillemets de la citation traduite et immédiatement avant l'appel de note.

Comme le dit Kronby, « la cour fut convaincue par la preuve de l'épouse » **[notre traduction]**[28].

6.2.3　Titre

Indiquer le titre du livre en entier et en italique. Suivre l'orthographe et la ponctuation du titre tel que publié.

> Brigitte Lefebvre, *La bonne foi dans la formation du contrat*, Cowansville (QC), Yvon Blais, 1998.

Précéder le sous-titre d'un deux-points non italique. Lorsque le livre cité est en anglais, ne pas mettre d'espace avant le deux-points.

> Frédéric Garron, *La caducité du contrat : étude de droit privé*, Aix-en-Provence, Presses universitaires d'Aix-Marseille, 2000.
>
> Petri Mäntysaari, *Comparative Corporate Governance: Shareholders as a Rule-maker*, New York, Springer, 2005.

Insérer une virgule avant une date comprise à la fin du titre.

> Michel Verpeaux, *La naissance du pouvoir réglementaire, 1789-1799*, Paris, Presses universitaires de France, 1991.

Si le titre de l'ouvrage est dans une langue qui n'est pas le français, l'anglais ou une autre langue familière aux lecteurs, inscrire le titre original, suivi d'une traduction en français. Ne pas mettre la traduction en italique, mais entre crochets, sans ponctuation entre le titre original et la traduction.

> Jürgen Schwarze, *Europaïsches Varwaltungsrecht* [Droit administratif européen], 2e éd, Bruxelles, Bruylant, 2009.

Transcrire le titre en lettres latines lorsque le titre original est dans une autre écriture (par ex. **Menachem Elon, *Ha-Mishpat Ha-Ivri* [Droit juif]**).

6.2.3.1 Procédures publiées d'une conférence ou d'un symposium

> Marie-France Bich, « Petits éléments pour une réflexion polémique sur la solidarité en droit du travail » dans *Droits de la personne : solidarité et bonne foi. Actes des Journées strasbourgeoises de l'Institut canadien d'études juridiques supérieures 2000 tenues du 2 au 8 juillet 2000 à Strasbourg*, Cowansville (QC), Yvon Blais, 2000.

Traiter toute information concernant la conférence ou le symposium comme faisant partie du titre.

6.2.4　Numéro de volume

6.2.4.1 Livres en français

> Auteur | *titre*, | tome, | volume : | édition, | directeur, | renseignements sur l'édition.

> Jean Carbonnier, *Droit civil : les obligations*, t 4, 22e éd, Paris, Presses universitaires de France, 2000.

Les ouvrages en français peuvent être divisés en tomes et subdivisés en volumes. Utiliser t pour **tome** et **vol** pour **volume**. Les renseignements relatifs au tome et au volume doivent être fournis après le titre. Indiquer les numéros de tomes et de volumes en chiffres arabes (par ex. 1, 2, 3). S'il y a lieu, inclure le titre du volume introduit par un deux-points à la suite du numéro de volume.

> Henri Mazeaud et al, *Leçons de droit civil*, t 3, vol 1 : Sûretés, publicité foncière, 7ᵉ éd, Yves Picod, dir, Paris, Montchrestien, 1999.

Ne pas répéter le numéro du tome et du volume dans les références suivantes, à moins qu'il n'y ait une référence à un tome ou un volume différent ailleurs dans le document citant.

6.2.4.2 Livres en anglais

Indiquer le numéro du volume en chiffres arabes (par ex. 1, 2, 3) même si l'éditeur utilise des chiffres romains. Ne pas répéter le numéro du volume dans les références ultérieures à moins qu'il y ait une référence à un volume différent ailleurs dans le document citant.

Si les volumes sont publiés sous différents titres, indiquer le numéro du volume avant les renseignements sur l'édition.

> David Gillies, *Telecommunications Law*, vol 1, Londres (R-U), Butterworths, 2003.

Si les volumes sont publiés sous un même titre, indiquer le numéro du volume après les renseignements sur l'édition.

> Karl Marx, *Capital: A Critical Analysis of Capitalist Production*, Friedrich Engels, dir, traduit par Samuel Moore et Edward B Aveling, Londres (R-U), Swan Sonnenschein, 1908, vol 1 à la p 15.

6.2.5 Édition

Indiquer le numéro de l'édition (par ex. 2ᵉ éd) après le titre. Abréger **édition** par éd. Lorsque l'ouvrage a été révisé mais qu'aucun numéro d'édition n'est précisé, indiquer éd révisée après le titre.

> Germain Brière, *Le nouveau droit des successions*, 2ᵉ éd, Montréal, Wilson & Lafleur, 1997.
>
> Maurice Tancelin, *Des obligations : contrat et responsabilité*, éd révisée, Montréal, Wilson & Lafleur, 1986.

6.2.6 Ouvrage à feuilles mobiles

> Auteur, | *titre*, | renseignements sur l'édition, | (feuilles mobiles | date de la mise à jour | supplément), | référence précise.

Les règles de cette section s'appliquent aux **ouvrages de doctrine** dont le contenu est **continuellement renouvelé**. Pour faire référence à la législation sous forme de recueils à feuilles mobiles, voir la section 2.1.6. Après les renseignements sur l'édition, mettre entre parenthèses l'expression **feuilles mobiles** et le numéro de la mise à jour ou du supplément.

Si l'année de la révision n'est pas déjà indiquée dans le numéro de la mise à jour ou du supplément, il est possible de l'inclure dans la référence.

> *The Law of Tort*, Toronto, Thomson Reuters, 2011 (feuilles mobiles mises à jour en 2013, version 20), ch 5 à la p 71).

Utiliser la date d'édition qui paraît sur la page où sont indiquées les informations sur les droits d'auteur, même si cette date diffère de la date qui se trouve ailleurs dans le livre. Faire référence au chapitre en plus de la page si l'ouvrage est divisé en chapitres.

> Georges Audet et al, *Le congédiement en droit québécois en matière de contrat individuel de travail*, Cowansville (QC), Yvon Blais, 1991 (feuilles mobiles mises à jour 18:1), ch 5 à la p 71.
>
> Madeleine Lemieux, *Tribunaux administratifs du Québec : Règles et législation annotées*, Cowansville (QC), Yvon Blais, 2002 (feuilles mobiles mises à jour 15), ch R9 à la p 85.
>
> Robert W Hillman, *Hillman on Lawyer Mobility : The Law and Ethics of Partner Withdrawals and Law Firm Breakups*, 2ᵉ éd, New York, Wolters Kluwer, 1998 (feuilles mobiles supplément 2009), ch 2 à la p 85.

6.2.7   Lieu d'édition

Indiquer le lieu d'édition. Le lieu d'édition peut servir à signaler au lecteur la juridiction pertinente à l'œuvre citée. Indiquer le lieu d'édition tel qu'il figure au recto ou au verso de la page titre. Utiliser la **version française** du nom de la ville si elle existe (par ex. écrire **Londres (R-U)** et non **London (UK)**). S'il y a **plus d'un lieu d'édition**, inclure le lieu indiqué sur la page titre (et non ceux indiqués au verso de la page titre) ou, si plusieurs lieux sont indiqués sur le recto de la page titre, inclure seulement le premier lieu.

Si des renseignements supplémentaires sont requis pour identifier le lieu d'édition (par ex. la province, l'état ou le pays), abréger ces renseignements entre parenthèses après le lieu d'édition (par ex. **Cowansville (QC)**). Si deux villes peuvent être confondues, ajouter les renseignements supplémentaires nécessaires (par ex. **London (ON)** et **Londres (R-U)**). Voir les abréviations couramment utilisées des provinces canadiennes de l'**annexe A-1** et les abréviations des états américains de l'**annexe A-2**.

> Jean-Luc Aubert, *La responsabilité civile des notaires*, 3ᵉ éd, **Paris**, Defrénois, 1998.
>
> Andrée Lajoie, *Pouvoir disciplinaire et tests de dépistage de drogues en milieu de travail : illégalité ou pluralisme*, **Cowansville (QC)**, Yvon Blais, 1995.

6.2.8   Maison d'édition

Indiquer le nom de la maison d'édition **tel qu'il figure à la page titre**. Ne pas l'abréger (par ex. **Presses de l'Université Laval** et non **PUL**). Omettre l'article défini (**le, la, les, l'**, *the*) si c'est le premier mot du nom de la maison d'édition et omettre les expressions indiquant le statut corporatif (par ex. **ltée, inc**).

> Mireille D-Castelli et Dominique Goubau, *Précis de droit de la famille*, Sainte-Foy (QC), **Presses de l'Université Laval**, 2000.

Écrire « édition(s) », « Publishing » ou « Publishers » uniquement s'il s'agit d'une partie inséparable du nom (par ex. **Éditions de l'Homme**). Si ces mots apparaissent dans une langue autre que le français ou l'anglais, ne pas les supprimer (par ex. **Verlag**). Indiquer **Presses** en français et **Press** en anglais si c'est inclus dans le nom de la maison d'édition sur la page titre.

> Pierre-Claude Lafond, *Précis de droit des biens*, 2ᵉ éd, Montréal, Thémis, 2007.

S'il y a **plus d'un éditeur**, fournir les lieux d'édition et les noms des coéditeurs, suivis de l'année. Séparer les lieux d'édition l'un de l'autre par **et**. De même, séparer les noms des coéditeurs par **et**.

> Latzville (BC) et Montréal : Oolichan Books et Institute for Research on Public Policy, 1992.

Si un éditeur travaille pour une **organisation**, indiquer **pour** avant le nom de l'organisation (par ex. **Janet E Gans Epner pour la Commission on Women in the Profession**). Si **aucune maison d'édition** n'est indiquée, écrire **maison d'édition inconnue**.

6.2.9 Année d'édition

Indiquer l'année de **l'édition actuelle** et non celle de la première édition. En général, utiliser la date la plus récente indiquée sur l'édition, à moins que l'année de publication ne soit présentée de façon explicite. Ne pas indiquer l'année d'impression.

> Jean Pineau et Serge Gaudet, *Théorie des obligations*, 4ᵉ éd, Montréal, Thémis, 2001.

6.3 ARTICLES OU ENTRÉES D'OUVRAGES COLLECTIFS, DE DICTIONNAIRES ET D'ENCYCLOPÉDIES

6.3.1 Modèle de base

Aux fins du présent *Manuel*, les **ouvrages collectifs**, les **encyclopédies** et les **dictionnaires** sont soumis aux mêmes règles.

> Auteur de l'article ou de l'entrée, | « titre de l'article ou de l'entrée » | dans | directeur, | dir, | *titre de l'ouvrage*, | édition, | lieu d'édition, | maison d'édition, | année d'édition, | première page | référence précise.

Indiquer le plus de renseignements possible parmi ceux suggérés dans la forme générale. Noter toutefois que plusieurs renseignements ne seront pas disponibles.

Indiquer tout d'abord le nom de l'auteur et le titre de l'article ou de l'entrée, puis indiquer les renseignements relatifs à l'ouvrage dans le même ordre et en utilisant les règles prévues à la section 6.2. Ne pas confondre le nom du directeur et le nom de l'auteur de l'article ou de l'entrée. Suivre le nom du directeur de **dir** entre virgules.

Si le texte n'est pas un article ou une entrée, utiliser en guise de titre d'article ou d'entrée le nom donné à la section citée en suivant les règles qui s'appliquent aux articles (par. ex. **Avant-propos, Préface, Introduction, Conclusion**).

Lorsque des éléments autres que ceux suggérés dans le modèle de base peuvent être ajoutés (voir section 6.2.1), les placer entre le titre de l'ouvrage et les renseignements sur l'édition.

6.3.2 Ouvrages collectifs

Un ouvrage est collectif s'il est rédigé ou conçu par plusieurs auteurs. Les ouvrages collectifs comprennent notamment les livres regroupant des chapitres ou des essais rédigés par différents auteurs.

> Madeleine Cantin Cumyn, « Le Code civil et la gestion des biens d'autrui » dans Jean-Louis Baudouin et Patrice Deslauriers, dir, *La responsabilité civile des courtiers en valeurs mobilières et des gestionnaires de fortune : aspects nouveaux*, Cowansville (QC), Yvon Blais, 1999, 121 à la p 128.

6.3.3 Encyclopédies

Une encyclopédie est un ouvrage qui recense les connaissances liées à un domaine du savoir particulier (à distinguer du dictionnaire à 6.3.4). Indiquer le nom de l'auteur lorsqu'il est fourni. À noter que plusieurs encyclopédies ne reconnaissent pas explicitement les contributions d'auteurs.

> Rev Edward Mewburn Walker, « Constitution of Athens » dans Hugh Chisholm, dir, *Encyclopaedia Britannica*, 11ᵉ éd, New York, Encyclopaedia Britannica, 1911.

Inclure tous les éléments supplémentaires, par exemple le numéro de volume (voir section 6.2.1).

6.3.4 Dictionnaires

Un dictionnaire est un ouvrage qui recense l'ensemble des mots d'une langue ou d'un domaine d'activité et qui fournit des renseignements quant au sens et à l'emploi de chacune des entrées. L'auteur de l'entrée n'étant généralement pas connu, se référer uniquement au nom de l'auteur ou du directeur de l'ouvrage, mais indiquer entre guillemets le mot cherché comme référence précise à la suite de la locution *sub verbo*, qui signifie « au mot » en latin.

> Gérard Cornu, dir, *Vocabulaire juridique*, 11ᵉ éd, Paris, Presses universitaires de France, 2016, *sub verbo* « minorité ».
> Desmond Brice-Bennett, *Legal Glossary: English/Inuktitut/French*, Iqaluit, Nunavut Arctic College, 1997, *sub verbo* « piqujaq ».

6.4 RECUEILS ENCYCLOPÉDIQUES

6.4.1 *Canadian Encyclopedic Digest*

Le *Canadian Encyclopedic Digest* (CED) est une encyclopédie publiée en feuilles mobiles donnant de l'information générale sur un sujet particulier du droit. Chacun des volumes est organisé par sujet (par ex. droit criminel, droit de la famille).

6.4.1.1 CED version imprimée

CED | (série | édition), | volume, | titre | section.

Écrire **CED** plutôt que le nom de l'encyclopédie au complet. Indiquer la série sous forme abrégée : **Ontario CED (Ont)** et **Western CED (West)**.

CED (Ont 4e), vol 1, titre 2 à la s 10.

6.4.1.2 CED version électronique

CED | édition | (en ligne), | *sujet* | (série), | « | rubrique et sous-rubrique » | (code de la sous-rubrique CED) | section.

Séparer les rubriques et les sous-rubriques par un deux-points. Inscrire le code de la sous-rubrique tel qu'il apparaît dans le CED en ligne.

Favoriser une référence à la version électronique. Si vous souhaitez faire référence à la version imprimée, suivre les règles de la section 6.4.1.1. Westlaw fournit un lien vers les renseignements nécessaires pour une référence à la version imprimée à partir de la version électronique du CED.

CED 4e éd (en ligne), *Actions* (Ont), « Forms and Classes of Action : Penal Actions : General » (II.5.(a)) à la s 3.

CED 4e éd (en ligne), *Citizenship*, « Taking the Test and Oath of Citizenship : Oral Interview for Citizenship » (III.(6)) à la s 57.

6.4.2 Halsbury's Laws of Canada

Halsbury's Laws of Canada fournit des résumés d'un large éventail de sujets juridiques. Chaque volume est organisé par sujet (par ex. procédures criminelles, assurances). Les mises à jour sont faites par l'entremise de suppléments cumulatifs publiés annuellement. Lorsque la partie citée fut mise à jour par un supplément cumulatif, faire référence à ce supplément et à son numéro de version entre parenthèses et à la suite de la section, en utilisant la forme abrégée (**Supp Cum version** x).

6.4.2.1 Halsbury's Laws of Canada version imprimée

Halsbury's Laws of Canada, | volume, | *sujet,* | section | (mise à jour).

Halsbury's Laws of Canada, vol 2, *Business Corporations*, dans HBC-301 « Prescribed by statute » (Supp Cum version 4).

6.4.2.2 Halsbury's Laws of Canada version électronique

Halsbury's Laws of Canada | (en ligne), | *sujet,* | « rubrique et sous-rubrique » | (code de la sous-rubrique) | section | mise à jour.

Halsbury's Laws of Canada (en ligne), *Business Corporations*, « Shareholder Remedies : The Oppression Remedy : Standing » (XIII.2.(6)) dans HBC-301 « Prescribed by statute » (Supp Cum version 4).

6.4.3   JurisClasseur Québec

Le *JurisClasseur Québec* est un recueil encyclopédique disponible en version imprimée sous forme de feuilles mobiles et en version électronique sur Quicklaw. Les renseignements bibliographiques à inclure dans la référence sont différents selon la version utilisée. Les références précises doivent être faites aux numéros (n°) indiqués devant le titre de certains paragraphes. Ne pas faire référence aux paragraphes (**para**), car plusieurs paragraphes ne sont pas numérotés.

Auteur, | « numéro du fascicule : | titre du fascicule » | référence précise, | dans | directeur, | dir, | JCQ | *titre de la collection.*

6.4.3.1 Version imprimée du JurisClasseur Québec

Indiquer le nom de l'auteur du fascicule. Si la source n'est pas divisée en numéros, la référence précise doit être faite aux numéros de page. Les numéros de page sont constitués du numéro du fascicule et du numéro de la page à l'intérieur du fascicule en question. Les deux numéros sont séparés d'une barre oblique (**10/30, 5/26**).

Louise Tremblay, "Fascicule 4 : Testament – règles de forme" au n° 62, dans Pierre-Claude Lafond, dir, JCQ Successions et libéralités.

6.4.3.2 Version Quicklaw du JurisClasseur Québec

Omettre le nom de l'auteur puisque ce renseignement n'est pas fourni dans la version électronique. Inscrire **(QL)** à la fin de la référence.

« Fascicule 4 : Testament – règles de forme » au no 62, dans Pierre-Claude Lafond, dir, JCQ *Successions et libéralités* **(QL)**.

6.5   CODES DE DÉONTOLOGIE

Organisme, | *titre du code,* | renseignements sur l'édition, | référence précise.

Si l'organisme et l'éditeur sont les mêmes, indiquer l'abréviation officielle de l'organisme dans les renseignements sur l'édition.

L'Association du Barreau canadien, *Code de déontologie professionnelle,* Ottawa, ABC, 2006, ch VI, r 1(a).

Association des infirmières et infirmiers du Canada, *Code de déontologie des infirmières et infirmiers,* Ottawa, AIIC, 2008, préambule à la p 2.

Abréger **règle** par r. Certains codes de déontologie sont établis par la législation. Faire référence à ces codes comme à des lois ordinaires (section 2.1).

6.6   RECENSIONS

> Auteur, | « titre de la recension », | recension de | *titre de l'ouvrage recensé* | de | auteur ou éditeur de l'ouvrage recensé | renseignements sur l'édition.

Les recensions sont l'équivalent des *book reviews* en anglais.

Si la recension porte un titre, l'indiquer après le nom de l'auteur, suivi d'une virgule. Indiquer **recension de** avant le titre de l'ouvrage recensé. Introduire par **de** le nom de l'auteur après le titre de l'ouvrage recensé.

Si le titre de la recension indique **à la fois le titre de l'ouvrage recensé et son auteur**, omettre ces informations dans le reste de la référence. Si le titre de la recension indique *soit* **le titre de l'ouvrage recensé,** *soit* **son auteur**, indiquer cette information après **recension de** même si une partie de l'information sera répétée.

Si l'ouvrage recensé possède un éditeur plutôt qu'un auteur, écrire **éd** entre virgules après le nom de l'éditeur de l'ouvrage recensé.

> Bjarne Melkevik, recension de *Démocratie et procéduralisation du droit* de Philippe Coppens et Jacques Lenoble (2001) 42:2 C de D 337.
>
> Yves-Marie Morissette, recension de *L'administration de la preuve* de Léo Ducharme (2001) 46:4 RD McGill 1179.

6.7   COMMENTAIRES D'ARRÊT ET CHRONIQUES DE LÉGISLATION

> Auteur, | « titre », | commentaire ou chronique | de | *intitulé* ou nom de la loi ou du projet de loi, | renseignements sur l'édition.

Indiquer le titre du commentaire d'arrêt ou de la chronique de législation entre guillemets, s'il y a lieu. Toutefois, si le titre indique déjà le nom de l'arrêt, omettre ces informations du reste de la référence.

Pour faire référence à **un commentaire d'arrêt**, mentionner **commentaire de** avant l'intitulé de l'arrêt.

> Léo Ducharme, « La proclamation de l'existence en droit québécois de la règle de common law de l'engagement implicite de confidentialité : *Lac d'amiante*, une décision judiciaire erronée », commentaire de *Lac d'amiante du Québec ltée c 2858-0702 Québec inc*, (2000) 79 R du B can 435.

Pour faire référence à **une chronique de législation**, la mention **chronique de** précède le titre de la loi.

> Jean-Pierre Colpron, « Les nouvelles règles visant à réduire les pertes en capital », chronique de l'art 1123 de la *Loi de l'impôt sur le revenu*, (1996) 18 Rev de plan fisc & success 177.

6.8 COMMENTAIRES, REMARQUES ET NOTES

Auteur, | « titre », | genre du texte, | renseignements sur l'édition.

Inscrire le genre du texte (**commentaire éditorial, note** ou **remarque**) avant les renseignements sur l'édition.

Monroe Leigh, « The Yugoslav Tribunal: Use of Unnamed Witnesses Against Accused », **commentaire éditorial**, (1996) 90:2 AJIL 235.

« What We Talk About When We Talk About Persons: The Language of Legal Fiction », **note**, (2001) 114:6 Harv L Rev 1745.

6.9 MANUSCRITS NON PUBLIÉS

6.9.1 Modèle de base

Auteur, | *titre* ou « titre », | date | [non publié, | archivé | lieu].

Faire référence au titre du manuscrit selon son genre. Pour les articles, placer le titre entre guillemets. Pour les monographies, inscrire le titre en italique. Faire suivre le titre du manuscrit de sa date de création. Indiquer que le manuscrit n'a pas été publié en mettant [non publié, archivé], ainsi que l'endroit où le manuscrit se trouve.

J Tremblay, « Nouveaux développements en droit du travail », mai 1997 [non publié, archivé à la Revue de droit de McGill].

6.9.2 Manuscrits à paraître

Auteur, | *titre* ou « titre », | renseignements sur l'édition | [à paraître en | date de publication prévue].

Faire référence au titre du manuscrit selon son genre. Pour les articles, placer le titre entre guillemets. Pour les monographies, inscrire le titre en italique. Inscrire les renseignements sur l'édition selon le genre du manuscrit, mais ne pas indiquer la date de publication. S'il s'agit d'une revue et que le numéro dans lequel le manuscrit sera publié est connu, indiquer ce numéro. Indiquer que le manuscrit n'a pas encore été publié en ajoutant [à **paraître**] et la date de publication prévue si disponible.

6.9.3 Thèses et dissertations

Auteur, | *titre*, | diplôme, | institution, | année | [non publiée].

Après avoir indiqué l'auteur et le titre du document, inscrire le diplôme dans le cadre duquel il a été écrit. Inclure la **discipline étudiée** (par ex. droit, science politique, économie), si l'on ne peut la déduire du diplôme ou du nom de l'institution. Après la mention de l'année, écrire [non publiée]. Faire référence aux thèses publiées sur support de microfiche (par ex. les

University Microfilms International) de la même manière que les références aux thèses sur support papier.

> Louise Potvin, *La personne et la protection de son image*, thèse de doctorat en droit, Université McGill, 1989 [non publiée].
>
> Val Napoleon, *Ayook: Gitksan Legal Order, Law and Legal Theory*, dissertation de doctorat, University of Victoria, 2009 [non publiée].

6.10 ALLOCUTIONS ET TEXTES PRÉSENTÉS DURANT DES CONFÉRENCES

> Conférencier, | « titre » ou allocution, | événement, | présenté(e) à | lieu ou institution, | date | renseignements sur l'édition ou [non publié(e)].

Indiquer le titre de l'allocution, si possible. Si **aucun titre** n'est fourni, utiliser **allocution**. Inscrire l'événement dans le cadre duquel l'allocution a été prononcée ou le texte a été présenté. Indiquer le lieu ou l'institution où l'allocution a été faite.

Inclure les renseignements sur l'édition. Pour faire référence à une **allocution non publiée**, inscrire **[non publié(e)]** à la fin de la référence (section 6.9.1). Si l'allocution non publiée est disponible en ligne, inscrire l'adresse électronique sous **renseignements sur l'édition** (section 6.19). Pour faire référence à une **allocution publiée dans une collection**, respecter les règles de référence des ouvrages collectifs (section 6.3).

> Son excellence John Ralston Saul, allocution d'ouverture, Conférence du Conseil international d'études canadiennes, présentée à l'Université d'Ottawa, 18 mai 2000 [non publiée], en ligne : Le gouverneur général du Canada <www.gg.ca>.
>
> Le juge John H Gomery, « The Pros and Cons of Commissions of Inquiry » Série de conférences annuelles de la Revue de droit de McGill, présentée à la Faculté de droit de McGill, 15 février 2006 (2006) 51:4 RD McGill 783.

6.11 RECUEILS DE COURS

> Professeur, | *titre*, | type de document, | faculté, | date ou année | référence précise.

Indiquer le type de document s'il n'est pas déjà inclus dans le titre. Les **recueils de cours** sont des compilations de textes pour les fins d'un cours particulier. Il est préférable d'indiquer la référence originale. Les **notes de cours** sont rédigées par le professeur pour un cours en particulier. Elles ne possèdent pas de référence originale.

> Lara Khoury et Geneviève Saumier, *Coursepack: Extra-contractual Obligations/ Torts*, Faculté de droit, Université McGill, 2003 à la p 20.
>
> Jean-Sébastien Brière, *Droit des brevets*, recueil de cours, Faculté de droit, Université de Sherbrooke, automne 2008 à la p 331.

6.12 MAGAZINES

Auteur, | « titre de l'article », | *titre du magazine* | volume : | numéro **ou** n° | (date) | 1re page de l'article | référence précise | source électronique.

Indiquer le nom de l'auteur suivi du titre de l'article entre guillemets. Indiquer le nom du magazine en italique. Placer tout autre renseignement (par ex. le lieu de publication) à la suite du nom du magazine, entre crochets et en italique. Indiquer le **volume et le numéro** en séparant ces informations par un deux-points (par ex. **10:30**). S'il n'y a pas de volume, n'indiquer que le numéro (par ex. **n° 20**). Indiquer la **date complète** entre parenthèses. Si la revue indique une période, n'indiquer que la **première journée de cette période**.

Jacques Julliard, « Requiem pour un "peuple interdit" », *Le Nouvel Observateur* n° 1740 (12 mars 1998) 47 à la p 12.

Julie Latour, « Garde partagée, avis partagés », *Magazine National [de l'Association du Barreau canadien]* (mars 2001), en ligne : <www.cba.org/abc/>.

Me Jean Lozeau et Me Paul Ryan, « La faillite et la responsabilité fiscale des administrateurs et des tiers », *Le Monde Juridique* 12:6 17 à la p 19.

6.13 JOURNAUX, FILS DE PRESSE ET AUTRES SOURCES DE NOUVELLES

Auteur, | « titre de l'article », | *journal [lieu d'édition]* | (date) | page | source électronique.

Indiquer le nom de l'auteur, s'il y a lieu, suivi du titre de l'article entre guillemets. Indiquer le nom du journal, du fil de presse ou de toute autre source en italique. Tout autre renseignement, tel que le lieu de publication, se place entre crochets à la suite du nom du journal.

Journaux :

Indiquer le numéro du cahier si les pages sont numérotées par cahier. Pour les références précises, ne pas répéter le numéro de page si l'article ne paraît que sur une seule page.

Fils de Presse :

Un fil de presse est un service d'information transmettant les toutes dernières nouvelles par satellite ou tout autre système électronique. Remplacer le nom du journal par le nom du fil de presse. Pour plus de renseignements sur la référence aux sources électroniques, voir la section 6.19.

Michel Venne, « Pour un accès gratuit aux lois sur Internet », *Le Devoir de Montréal* (28 mai 1997) A2.

« Un organisme d'aide juridique est menacé de fermeture par Québec », *La Presse canadienne* (8 août 2001) (QL).

"Ruling on Baby with Three Mothers", *BBC News* (10 novembre 2005), en ligne : <news.bbc. co.uk> [perma.cc/EZ75-LSGB].

« Défaite des fabricants de tabac aux Etats-Unis », *La Presse [de Montréal]* (28 mai 1997) B10.

6.13.1 Éditoriaux et lettres à la rédaction

Auteur, | « titre de l'éditorial », | type de document, | *journal* | (date) | page | source électronique.

Indiquer **lettre à la rédaction** après le nom de l'auteur de la lettre et **éditorial** après le titre d'un éditorial. Mettre en italique le nom du journal, de la revue ou de toute autre source. Placer à la suite du titre, entre crochets et en italique, tout autre renseignement tel que le lieu de publication.

Jean Barrué, lettre à la rédaction, *Le Monde diplomatique* (avril 1997) 2.

Marie-Andrée Chouinard, « Coup dur », éditorial, *Le Devoir* (23 octobre 2009) A8.

6.14 COMMUNIQUÉS DE PRESSE

Organisme responsable, | genre du document, | numéro, | « titre » | (date) | source électronique.

Indiquer le genre du document tel qu'énoncé sur le document. Indiquer le **numéro du document** immédiatement après le genre du document, s'il y a lieu. Si possible, fournir la **date du document** entre parenthèses à la fin de la référence, mais avant la source électronique.

Organisation des Nations Unies, communiqué, CS/2284, « Le conseil demande le retrait immédiat des troupes israéliennes des villes palestiniennes dont Ramallah et la coopération des parties avec l'Envoyé spécial de Washington » (29 mars 2002), en ligne : *Couverture des réunions & communiqués de presse des Nations Unies* <www.un.org/press/fr> [perma.cc/74BJ-JQGB].

Cabinet du premier ministre du Québec, communiqué, « Journée internationale des femmes : "Nouvelles réalités, solidarités nouvelles" » (8 mars 2002), en ligne : *Site officiel du premier ministre du Québec* <www.premierministre.gouv.qc.ca/actualites/ communiques>.

6.15 LETTRES ET ENTREVUES

Type de document | nom des personnes impliquées | (date) | renseignements supplémentaires (archives, sources électroniques ou imprimées).

Identifier une **lettre** ou une **entrevue** en indiquant **lettre de** ou **entrevue de**, suivi du nom des parties au début de la référence. Inclure le nom des parties, suivi de la date à laquelle la lettre a été rédigée ou à laquelle l'entrevue s'est déroulée.

Si le titre d'une personne impliquée n'est pas mentionné dans le texte ou ne peut être déduit, fournir autant de renseignements que possible sur ce titre, précédés d'une virgule. Fournir le nom de l'intervieweur s'il n'est pas aussi l'auteur. Si la lettre ou l'entrevue est publiée, disponible en ligne ou archivée, inclure la référence.

> Edward Beauvais par Douglas Sanderson (29 mai 1948) sur *This Week*, CBC Radio, Toronto, CBC Radio Archives.
>
> PE Moore, Acting Superintendent of Medical Services, Indian Affairs Branch, à Ellen L Fairclough, Minister of Citizenship [aucune date] Hull, Affaires Indiennes et du Nord Canada (6-24-3, vol 2).

6.16   DOCUMENTS ARCHIVÉS

> Titre du document | (autres renseignements), | lieu des archives, | nom des archives, | (numéro de classification).

Si un document se trouve dans des archives locales, fournir le plus de renseignements possible sur le document selon les règles de référence traditionnelles, suivis de l'information des archives.

> Lettres patentes du roi François 1er nommant Jacques Cartier capitaine général de l'expédition destinée au Canada (17 octobre 1540, Saint-Prix), Ottawa, Archives nationales du Canada (MG 1-Série C11A).
>
> Chief Andrew Paull à TA Crerar (22 juin 1944), Ottawa, Archives nationales du Canada (RG 10, vol 6826, file 496-3-2, pt 1).

6.17   PROPRIÉTÉ INTELLECTUELLE

6.17.1   Brevets

> « Titre de l'invention », | Pays | Brevet n° | PCT Brevet n° | (date de dépôt), | référence précise.

Indiquer **le titre de l'invention** entre guillemets, suivi de **l'abréviation du pays** où le brevet a été émis ainsi que le numéro du brevet. Si le brevet a été délivré par le biais du **Traité de coopération en matière de brevets** (PCT), utiliser le modèle de référence **PCT Brevet n°** dans la référence. Si nécessaire, indiquer le numéro de brevet du pays et le numéro de brevet PCT séparés d'une virgule. Indiquer la date de dépôt entre parenthèses. Faire référence à l'abrégé (**abrégé**), au numéro de revendication (**rev**) ou à une figure (**fig**) en référence précise. S'il s'agit d'une **demande de brevet**, écrire **demande déposée le** avant la date de dépôt (par ex. **demande déposée le 30 août 2008**).

« Épaulière pour violon », Can Brevet n° 2414383, PCT Brevet n° PCT/US2001/021243 (29 juin 2001), rev 10.

« Parallel network processor array », É-U Brevet n° 6854117 (31 octobre 2000), fig 9.

6.17.2   Marques de commerce

« Marque de commerce », | propriétaire inscrit, | pays | n° d'enregistrement | (date d'enregistrement), | état.

Indiquer **la marque de commerce** entre guillemets. Indiquer **le propriétaire inscrit** et **l'abréviation du pays** où la marque de commerce a été enregistrée. Écrire **le numéro d'enregistrement**. Le format du numéro varie selon le pays. Indiquer **la date d'enregistrement** entre parenthèses. Écrire **l'état actuel** de la marque de commerce dans le registre. Pour les marques de commerce des États-Unis, écrire **existante** pour *live* et **non existante** pour *dead*. Pour le Canada, écrire **enregistrée** ou **radiée**.

« Kellogg's Cinnamon Mini Buns à la cannelle », Kellogg Company, Can n° enr LMC424258 (4 mars 1994), radiée.

« Lego », Lego Juris A/S, É-U 78882203 (3 juin 2008), existante.

6.17.3   Droits d'auteur

« Titre de l'œuvre protégée » | (catégorie) | titulaire du droit d'auteur, | pays | n° d'enregistrement | (date d'enregistrement) | état.

Indiquer **le titre** de l'œuvre protégée entre guillemets. Au Canada, **la catégorie de l'œuvre** inclut les **œuvres littéraires, artistiques, dramatiques et musicales** originales; les **prestations d'interprètes, enregistrements sonores et signaux de communication**; ainsi que les **dispositifs mécaniques**. Indiquer **le titulaire du droit d'auteur** et **l'abréviation du pays** où le droit d'auteur a été enregistré. Écrire **le numéro d'enregistrement**. Le format du numéro varie selon le pays. Indiquer **la date d'enregistrement** entre parenthèses. Écrire **l'état actuel** (**enregistré** ou **radié**) du droit d'auteur dans le registre.

« Twilight » (musique) Mary Chapin Carpenter, É-U Pau002997899 (20 décembre 2005).

« Feel Happy » (enregistrement sonore) Warner Music Canada, Can 1035760 (24 janvier 2006) enregistré.

« Agrippa : Le livre noir » (littéraire) Éditions Michel Quintin, Can 1056747 (11 mars 2003) enregistré.

6.18   DOCUMENTS DE TRAVAIL

Auteur, | « titre » | (année) | institution | Document de travail | numéro/index.

Si le document de travail est disponible en ligne, indiquer son emplacement après le numéro/index (voir la section 1.6).

Doctrine et autres documents

Bernard Dafflon, « L'économie politique et la gestion territoriale des services environnementaux » (2013) Agence Française de Développement Document de travail 135.

Jacques Saint-Pierre, « Finance, stratégie et gouvernance » (2006) Faculté des sciences de l'administration de l'Université Laval Document de travail No 2006-021.

6.19 SOURCES ÉLECTRONIQUES

Cette section fournit des conseils pour les sources qui existent seulement ou principalement en ligne. Pour des conseils généraux sur la référence aux ressources électroniques, voir la section 1.6. Pour des conseils spécifiques par rapport à certaines sources disponibles à la fois en ligne en publication traditionnelle, voir la section appropriée pour le genre de source (par ex. jurisprudence (section 3.8), recueils encyclopédiques (section 6.4), journaux (section 6.16)).

6.19.1 Sites internet

Auteur, | « titre de la page ou de l'article » | (date de la page ou de l'article), | en ligne : | *nom du site internet* | <URL> | [URL archivée].

Richard Gold, « The Midas Conundrum: Why less can be more when it comes to intellectual property protection » (25 avril 2017), en ligne : *Centre for International Governance Innovation* www.cigionline.org/articles/midas-conundrum > [perma.cc/ XAP7-VWDR].

« Tribunaux canadiens » (dernière modification le 21 juin 2017), en ligne : *Cour fédérale* <cas-cdc-www02.cas-satj.gc.ca> [perma.cc/WB8C-E55X].

Il est probable que plusieurs renseignements soient introuvables. Si tel est le cas, faire preuve de jugement et inclure les renseignements essentiels qui permettront aux lecteurs de retracer la source citée.

L'auteur est la personne qui a rédigé la source citée. Lorsqu'il est impossible d'identifier l'auteur, fournir le nom du propriétaire institutionnel du domaine. Omettre le nom de l'auteur si ce renseignement est évident dans le nom du site internet.

Le titre de la page ou de l'article permet aux lecteurs d'identifier la portion citée par rapport à la totalité du site internet. En l'absence d'une numérotation claire des pages sur le site internet, le titre est la référence la plus précise qui soit disponible.

Si possible, indiquer la date de publication de la page ou de l'article entre parenthèses (jour, mois et année). Sinon, indiquer la date de la dernière modification du site internet, introduite par **dernière modification le**. En dernier recours, indiquer la date de consultation, introduite par **dernière consultation le**.

Indiquer l'URL complète entre chevrons (<...>). Omettre les protocoles **http://** et **https://**, mais inclure tout protocole de forme différente. N'indiquer **www** que lorsque la source elle-même l'inclut.

6.19.1.1 Documents PDF

Utiliser le même format que pour les sites internet (6.19.1), mais fournir la référence précise après la date et ajouter **(pdf)** après les mots **en ligne**.

> Bernard Dafflon, « L'économie politique et la gestion territoriale des services environnementaux » (2013) à la p 37, en ligne **(pdf)** : *Université de Fribourg* <www.unifr.ch> [perma.cc/2V4H-CWAU].

6.19.1.2 Balados (podcasts)

Utiliser le même format que pour les sites internet (6.19.1), mais fournir la référence précise après la date et ajouter **(balado)** après les mots **en ligne**. Si possible, inscrire le nom de l'orateur à la place du nom de l'auteur.

> « Clerks! Part I » (26 octobre 2017) à 00h:03m:19s, en ligne **(balado)** : *Revue de droit de McGill* <lawjournal.mcgill.ca/fr/text/96> [perma.cc/C5W6-ANC4].

6.19.1.3 Vidéos et agrégateurs de vidéos en ligne

Les vidéos en ligne sont souvent copiées et mises sur d'autres comptes sans permission ou attribution. Si possible, citer le site internet original ou le compte qui a initialement mis la vidéo en ligne. Utiliser le même format que pour les sites internet (6.19.1), mais fournir la référence précise après la date et ajouter **(vidéo)** après les mots **en ligne**. Inclure le nom de l'auteur et le titre de la vidéo. Omettre le nom de l'auteur si ce renseignement est évident dans le nom du site internet.

> UCTelevision, « Russ Feingold — Legally Speaking » (27 juin 2013) à 00h:12m:15s, en ligne **(vidéo)** : *YouTube* <www.youtube.com> [perma.cc/AW5F-7QNQ].
>
> « Supreme Court Hearings: Supreme Court Reference Case on the Appointment of Justice Marc Nadon » (15 janvier 2014) à 02h:29m:30s, en ligne **(vidéo)** : *CPAC* <www.cpac.ca/en/programs/supreme-court-hearings/episodes/29928389> [perma.cc/J2EH-TFXL].

6.19.1.4 Blogues

6.19.1.4.1 Entrées de blogue

Utiliser le même format que pour les sites internet (6.19.1), mais ajouter **(blogue)** après les mots **en ligne**. Inclure l'auteur et le titre de l'entrée.

> Michael Geist, « Posner on Copyright: Restrictive Fair Use a Risk to Creativity » (2 octobre 2012), en ligne **(blogue)** : *Michael Geist* <www.michaelgeist.ca/content/view/6645/125> [perma.cc/9RQ9-BSEF].

6.19.1.4.2 Commentaires de blogue

> Nom ou pseudonyme | (date et heure), | en ligne : | <URL>, | commentaire sur | référence complète du blogue.

Indiquer la référence du commentaire, suivie de **commentaire sur** et de la référence complète du blogue (voir la section 6.19.1.4.1). Certains sites offrent un lien direct vers les commentaires individuels. Faire alors référence à cette URL et non à celle de l'entrée principale du blogue. Indiquer la date et l'heure de publication de l'entrée ou du commentaire. Pour éviter toute confusion, utiliser le système horaire sur 24 heures.

> Gary P Rodriguez (16 février 2011 à 11:14), **commentaire sur** Daniel Poulin et Frédéric Pelletier, « Are We to Live with Useless Periods Forever? » (15 février 2011), en ligne (blogue) : *Slaw* <www.slaw.ca/2011/02/15/are-we-to-live-with-useless-periods-forever> [perma.cc/6TF9-58LZ].
>
> petes_PoV (6 octobre 2012 à 12:09), en ligne (blogue) : *Slashdot* <news.slashdot.org/comments.pl?sid = 3167773&cid = 41568655> [perma.cc/XR2Z-L2VQ], **commentaire sur** Timothy, « Gas Prices Jump: California Hardest Hit » (6 octobre 2012).

6.19.1.5 Réseaux sociaux

> Auteur, | « première phrase de l'entrée » | (date de l'entrée), | autres renseignements, | en ligne : | *réseau social* | <URL> .

Si la première phrase est trop longue, tronquer la phrase convenablement et ajouter des points de suspension avant le guillemet fermant (par ex. « **Again our mighty Senators are blowing ou tax money. . .** »).

6.19.1.5.1 Entrées Facebook

Les autres renseignements comprennent le nom du groupe ou du profil individuel dont la page contient l'entrée citée, précédé par **publié sur**. Pour citer une page de groupe ou un profil individuel plutôt qu'une entrée spécifique, remplacer la première phrase par le nom du groupe ou du profil individuel, suivi de la date de création du groupe ou du profil si disponible.

> Barack Obama, « When I left office, I told you all that the single most important thing . . . » (5 octobre 2017), **publié sur** *Barack Obama*, en ligne : *Facebook* <www.facebook.com/barackobama> [perma.cc/9LXB-7URP].

6.19.1.5.2 Entrées Twitter

À la place de la première phrase, inclure le contenu complet du tweet entre guillemets. Indiquer la date et l'heure de la publication. Pour éviter toute confusion, utiliser le système horaire sur 24 heures.

> White House Archived, « Detailed, thorough timeline from Day 1: The Ongoing Administration-Wide Response to the BP Oil Spill http://bit.ly/aYOIA3 » (5 mai 2010 à 9:00), en ligne : *Twitter* <twitter.com/whitehouse/status/13433979066> [perma.cc/E2TK-E98U].

précédés de **I-** s'il s'agit d'une **décision de la CJE** et de **II-** s'il s'agit d'une **décision de la CJ (1ʳᵉ inst)**.

Cour de Justice des Communautés européennes :

Commission c Luxembourg, C-26/99, [1999] Rec CE I-8987 à la p I-8995.

Tribunal de première instance :

Kesko c Commission, T-22/97, [1999] Rec CE II-3775 à la p II-3822.

7.9.3   Débats du Parlement européen

CE, | *date de la séance ou titre*, | [année] | JO, | annexe et numéro de volume/première page | référence précise.

Les débats du Parlement européen sont publiés dans l'annexe du *Journal officiel de l'Union européenne* (JO). Indiquer **CE**, suivi du titre du document ou de la date de la séance. Indiquer ensuite l'année de publication de la séance entre crochets, suivi de **JO**, du mot **annexe**, du numéro de volume et de la première page. Une barre oblique sépare le numéro du volume et la première page (par ex. **4-539/144**).

CE, *Séance du mercredi 5 mai 1999*, [1999] JO, annexe 4-539/144 à la p 152.

7.10   AUTRES TRADITIONS JURIDIQUES

7.10.1   Droit romain

Faire référence à la **division traditionnelle** (généralement un livre, un titre ou une partie) et non au numéro de page de l'édition ou de la traduction. Ne pas ajouter d'espace entre les numéros des différentes parties. Utiliser des chiffres arabes (par ex. **1, 2, 3**), suivis de points, pour indiquer les divisions, quelle que soit la forme utilisée dans l'édition ou dans la traduction.

L'abréviation **pr**, précédée d'une espace, signifie *principium* ou « début » et fait référence au document non numéroté avant la première section d'un titre. Indiquer l'édition ou la traduction utilisée entre parenthèses à la fin de la référence.

Pour faire référence au **Digeste de Justinien**, indiquer s'il y a lieu l'auteur du passage entre parenthèses à la fin de la référence.

Collection	Abréviation	Exemple
Lois des douze tables	XII Tab	XII Tab 8.2
Institutes de Gaius	G	G 3.220
Code de Théodose	Cod Th	Cod Th 8.14.1
Institutes de Justinien	Inst	Inst 4.4 pr (trad par Birks et McLeod)

Collection	Abréviation	Exemple
Digeste de Justinien	Dig	Dig 47.10.1 (Ulpian)
Codex de Justinien	Cod	Cod 6.42.16
Nouvelles	Nov	Nov 22.3

7.10.2   Droit canon

Faire référence à la **division traditionnelle** et non au numéro de page de l'édition ou de la traduction. Utiliser des chiffres arabes (par ex. **1, 2, 3**), suivis de points, pour indiquer les divisions, quelle que soit la forme utilisée dans l'édition ou dans la traduction. Indiquer l'édition ou la traduction utilisée entre parenthèses à la fin de la référence.

Collection	Abréviation	Exemple
Decretum de Gratien	-	**1re partie** : D 50 c 11 **2e partie** : C 30 q 4 c 5 **2e partie**, *De poenitentia* : De poen D 1 c 75 **3e partie** : De cons D 1 c 5
Décrétales de Grégoire IX (*Liber extra*)	X	X 5.38.12
Décrétales de Boniface VIII (*Liber sextus*)	VI	VI 5.2.16
Constitutions de Clément V (*Clementinae*)	Clem	Clem 3.7.2
Extravagantes de Jean XXII (*Extravagantes Johannis XXII*)	Extrav Jo XII	Extrav Jo XII 14.2
Extravagantes communes (*Extravagantes communes*)	Extrav Com	Extrav Com 3.2.9
Codex Iuris Canonici (1917)	1917 Code	1917 Code c 88, § 2
Codex Iuris Canonici (1983)	1983 Code	1983 Code c 221, § 1

7.10.3   Droit talmudique

Talmud, | *traité*, | référence précise.

Indiquer le Talmud de Babylone ou le Talmud de Jérusalem. Mettre le nom du traité en italique. Pour faire référence au Talmud de Babylone, indiquer la **pagination traditionnelle** (de l'édition Vilna) et non le numéro de page fourni par l'éditeur ou par le traducteur. Si une édition différente est utilisée (par ex. Warsaw), indiquer le nom de l'édition après la référence précise.

Pour faire référence à une édition ou à une traduction particulière, indiquer le nom de la maison d'édition entre parenthèses, suivi d'une référence précise (voir les sections 6.2.2.4.1 et 6.2.7 à 6.2.9). S'il y a une traduction, indiquer [traduction par l'auteur] dans le corps du texte à la fin de la citation, après les guillemets, mais avant l'appel de note (voir la section 6.2.2.4.2).

Utiliser des chiffres arabes (par ex. 1, 2, 3) pour le numéro de feuille et les lettres a et b pour indiquer le numéro de page. Pour faire référence au **Talmud de Jérusalem**, fournir une référence précise correspondant au Mishna (Mish) et au Halacha (Hal) et non à la page. Indiquer une référence précise à une page si tous les renseignements sur l'édition peuvent être fournis entre parenthèses (voir les sections 6.2.7 à 6.2.9).

Talmud de Babylone, *Bava Metzia*, 11b.
Talmud de Jérusalem, *Sanhedrin*, Mish 1 Hal 5.

INDEX

Appendices

Annexes

TABLE OF CONTENTS / TABLE DES MATIÈRES

APPENDIX A / ANNEXE A

A. JURISDICTION ABBREVIATIONS ~ ABRÉVIATIONS DE JURIDICTIONS

(A-1) Abbreviations for Canada ~ Abréviations canadiennes

Jurisdiction / Indication géographique	Statutes and Gazettes / Lois et gazettes	Regulations / Règlements	Courts and Journals / Cours et revues	Neutral Citation / Référence neutre	Law Reporters / Recueils de droit
Alberta	A	Alta	Alta	AB	A or Alta
British Columbia / Colombie-Britannique	BC	BC	BC	BC	BC
Canada	C	C	C or Can	–	C or Can
Lower Canada / Bas-Canada	LC / B-C	LC / B-C	LC / B-C	–	LC / B-C
Manitoba	M	Man	Man	MB	Man
New Brunswick / Nouveau-Brunswick	NB / N-B	NB / N-B	NB / N-B	NB	NB / N-B
Newfoundland[1] Terre-Neuve[2]	N	Nfld	Nfld	NF	Nfld
Newfoundland & Labrador[3] / Terre-Neuve-et-Labrador[4]	NL	NL	NL	NL (NF — before 19 March 2002 / avant le 19 mars 2002)	Nfld
Northwest Territories / Territoires du Nord-Ouest	NWT / TN-O	NWT / TN-O	NWT / TN-O	NWT or NT	NWT / TN-O
Nova Scotia / Nouvelle-Écosse	NS	NS	NS	NS	NS
Nunavut	Nu	Nu	Nu	NU	Nu
Ontario	O	O or Ont	Ont	ON	O
Prince Edward Island / Île-du-Prince-Édouard	PEI	PEI	PEI	PE	PEI
Province of Canada	Prov C	Prov C	Prov C	–	–
Quebec / Québec	Q	Q	Q (Journals) or Qc (Courts)	QC	Q

[1] **Gazette**: before 21 December 2001 / **Regulations**: before 13 December 2001 / **Most other purposes including statutes**: before 6 December 2001.

[2] **Gazette**: avant le 21 décembre 2001 / **Règlements**: avant le 13 décembre 2001 / **Pour le reste (incluant les lois)** : avant le 6 décembre 2001.

[3] **Gazette**: 21 December 2001 and after / **Regulations**: 13 December 2001 and after / **Most other purposes including statutes**: 6 December 2001 and after.

[4] **Gazette**: depuis le 21 décembre 2001 / **Règlements** : depuis le 13 décembre 2001 / **Pour le reste (incluant les lois)** : depuis le 6 décembre 2001.

Saskatchewan	S	S or Sask	Sask	SK	Sask

Jurisdiction / Indication géographique	Statutes and Gazettes / Lois et gazettes	Regulations / Règlements	Courts and Journals / Cours et revues	Neutral Citation / Référence neutre	Law Reporters / Recueils de droit
Upper Canada / Haut-Canada	UC	UC	UC	–	UC
Yukon	Y	Y	Y	YK	Y

Canadian Postal Abbreviations / Abréviations postales canadiennes

Use the following list when referring to provinces in documents that are not mentioned in the previous table (e.g. "F Allard et al, eds, *Private Law Dictionary of Obligations and Bilingual Lexicons*, (Cowansville, **QC**: Yvon Blais, 2003)").

Utiliser la liste suivante pour faire référence à des documents qui ne sont pas mentionnés dans le tableau précédent (par ex. « Louis Beaudoin et Madeleine Mailhot, *Expressions juridiques en un clin d'œil*, Cowansville (**QC**), Yvon Blais, 1997 »).

Province or Territory / Province ou territoire	Abbreviation / Abréviation
Alberta	AB
British Columbia / Colombie-Britannique	BC
Manitoba	MB
New Brunswick / Nouveau-Brunswick	NB
Newfoundland and Labrador / Terre-Neuve-et-Labrador	NL
Northwest Territories / Territoires du Nord-Ouest	NT
Nova Scotia / Nouvelle-Écosse	NS
Nunavut	NU
Ontario	ON
Prince Edward Island / Île-du-Prince-Édouard	PE
Quebec / Québec	QC
Saskatchewan	SK
Yukon	YT

(A-2) Abbreviations for the United States ~ Abréviations américaines

Alabama	Ala		Minnesota	Minn
Alaska	Alaska		Mississippi	Miss
Arizona	Ariz		Missouri	Mo
Arkansas	Ark		Montana	Mont
California	Cal		Nebraska	Neb
Californie	Cal		Nevada	Nev
Caroline du Nord	NC		New Hampshire	NH
Caroline du Sud	SC		New Jersey	NJ
Colorado	Colo		New Mexico	N Mex
Connecticut	Conn		New York	NY
Dakota du Nord	N Dak		North Carolina	NC
Dakota du Sud	S Dak		North Dakota	N Dak
Delaware	Del		Nouveau Mexique	N Mex
District de Columbie	DC		Ohio	Ohio
District of Colombia	DC		Oklahoma	Okla
États-Unis	É-U		Oregon	Or
Florida	Fla		Pennsylvania	Pa
Floride	Fla		Pennsylvanie	Pa
Georgia	Ga		Rhode Island	RI
Géorgie	Ga		South Carolina	SC
Hawaii	Hawaii		South Dakota	S Dak
Idaho	Idaho		Tennessee	Tenn
Illinois	Ill		Texas	Tex
Indiana	Ind		United States	US
Iowa	Iowa		Utah	Utah
Kansas	Kan		Vermont	Vt
Kentucky	Ky		Virginia	Va
Louisiana	La		Virginie	Va
Louisiane	La		Virginie occidentale	W Va
Maine	Me		Washington	Wash
Maryland	Md		West Virginia	W Va
Massachussetts	Mass		Wisconsin	Wis
Michigan	Mich		Wyoming	Wyo

Appendices / Annexes

(A-3) Abbreviations for Australia ~ Abréviations australiennes

Jurisdiction / Indication géographique	Legislation and Courts / Législation et cours	Neutral citation / Référence neutre
Australia	Austl	–
Commonwealth	Cth	–
Australian Capital Territory / Territoire de la capitale australienne	ACT	–
New South Wales / Nouvelle-Galles du Sud	NSW	NSW
Northern Territory / Territoire du Nord	NT	NT
Queensland	Qld	Q
South Australia / Australie méridionale	SA	SA
Tasmania / Tasmanie	Tas	TAS
Victoria	Vic	V
Western Australia / Australie occidentale	WA	WA

(A-4) Other Jurisdictional Abbreviations ~ Abréviations d'autres juridictions

Afrique du sud	Afr du sud
Écosse	Écosse
Étas-Unis	É-U
European Union	EU
France	France
Hong Kong	HK
Ireland	I

Irelande du nord	IN
New Zealand	NZ
Northern Ireland	NI
Nouvelle-Zélande	N-Z
Royaume-Uni	R-U
Scotland	Scot
Singapore / Singapour	Sing
South Africa	S Afr
Union européenne	UE
United Kingdom	UK
United States	US

(A-5) Abbreviations in International Materials ~ Abréviations dans les documents internationaux

Abbreviation / Abréviation	Meaning / Signification
AC	Assemblée consultative (Conseil de l'Europe)
AG	Assemblée générale (NU)
AIEA	Agence internationale de l'énergie atomique (NU)
AP	Assemblée parlementaire (Conseil de l'Europe)
APEC	Asia Pacific Economic Cooperation
ATNIA	Australian Treaty National Interest Analysis
ATNIF	Australian Treaty not yet in force
ATS	Australian Treaty Series
AU	African Union
Bur	Bureau (NU)
C1	First Committee (UN) / Première commission (NU)

C2	Second Committee (UN) / Deuxième Commission (NU)
C3	Third Committee (UN) / Troisième Commission (NU)
CA	Consultative Assembly (Council of Europe)
Can TS	Canada Treaty Series
CCED	Conseil du commerce et du dévoloppement (NU)
CDH	Commission des droits de l'homme (NU)
CE	Communautés européennes
CES	Conseil économique et social (NU)
CIJ	Cour internationale de Justice
CJ (1re inst)	Tribunal de première instance (CE)
CJE	Cour de justice des Communautés européennes
CNUCED	Conférence des Nations Unies sur le commerce et le développement
CNUDCI	Commission des Nations Unies pour le droit commercial international
Comm Eur DH	Commission européenne des Droits de l'Homme
Comm Interam DH	Commission interaméricaine des Droits de l'Homme
Conseil de l'Europe	Conseil de l'Europe
Council of Europe	Council of Europe
Cour Eur DH	Cour européenne des Droits de l'Homme
Cour Interam DH	Cour interaméricaine des Droits de l'Homme
CPJI	Cour permanente de justice internationale
CS	Conseil de sécurité (NU)
CT	Conseil de tutelle (NU)
CTS	Consolidated Treaty Series
Dec	Decision
Déc	Décision
DJI	Documents juridiques internationaux
Doc	Document

Doc off	Document officiel
EC	European Communities
ECFI	European Court of First Instance
ECJ	Court of Justice of the European Communities
Emer	Emergency
ESC	Economic and Social Council (UN)
ETS	European Treaty Series
EU	European Union
Eur Comm HR	European Commission of Human Rights
Eur Ct HR	European Court of Human Rights
Extra	Extraordinaire
FMI	Fonds monétaire international (NU)
GA	General Assembly (GA)
GATT	Accord général sur les tarifs douaniers et le commerce **General Agreement on Tariffs and Trade**
GC	General Committee (UN)
HCDH	Haut-Commissariat aux droits de l'homme (NU)
HCR	Haut-Commissariat des Nations Unies pour les réfugiés
HRC	Human Rights Committee (UN)
IAEA	International Atomic Energy Agency (UN)
ICAO	International Civil Aviation Organization (NU)
ICJ	International Court of Justice
ICTR	International Criminal Tribunal for Rwanda (UN)
ICTY	International Criminal Tribunal for the Former Yugoslavia (UN)
ILM	International Legal Materials
ILO	International Labor Organization (UN)
IMF	International Monetary Fund (UN)

Inter-Am Comm HR	Inter-American Commission on Human Rights
Inter-Am Ct HR	Inter-American Court of Human Rights
LNTS	League of Nations Treaty Series
Mimeo	Mimeograph(ed)
Miméo	Miméographié
Mtg	Meeting
NATO	North Atlantic Treaty Organization
NU	Nations Unies
NUCED	Conférence des Nations Unies sur le commerce et le développement
OACI	Organisation de l'aviation civile internationale (NU)
OAS	Organization of American States
OASTS	Organization of American States Treaty Series
OÉA	Organisation des États américains
OHCHR	United Nations High Commissioner for Human Rights, Office of the (UN)
OIT	Organisation internationale du Travail
OMC	Organisation mondiale du commerce
OMPI	Organisation mondiale de la propriété intellectuelle
OR	Official Records
OTAN	Organisation du Traité de l'Atlantique Nord
PA	Parliamentary Assembly (Council of Europe)
PCIJ	Permanent Court of International Justice
Plen	Plenary
Plén	Pléniaire
Rec	Recommendation / Recommandation
Reg	Regulation
Res	Resolution
Rés	Résolution

RTF	Recueil des traités de la France
RTNU	Recueil des traités des Nations Unies
RTSN	Recueil des traités de la Société des Nations
RT Can	Recueil des traités du Canada
SC	Security Council
Sess	Session
Spec	Special
Spéc	Spécial
Supp	Supplement / Supplément
STE	Série des traités européens
TC	Trusteeship Council
TDB	Trade and Development Board (UN)
TI Agree	Treaties and other International Agreements of the United States of America 1776-1949
TIAS	United States Treaties and Other International Acts Series
TPIR	Tribunal pénal international pour le Rwanda (NU)
TPIY	Tribunal pénal international pour l'ex-Yougoslavie (NU)
UA	Union africaine
UE	Union européenne
UKFS	British and Foreign State Papers
UKTS	United Kingdom Treaty Series
UN	United Nations
UNCITRAL	United Nations Commission on International Trade Law
UNCTAD	United Nations Conference on Trade and Development
UNHCR	United Nations High Commissioner for Refugees
UNTS	United Nations Treaty Series
Urg	Urgence

USTA	United States Treaties and Other International Agreements
WBO	Banque mondiale World Bank Organization
WIPO	World Intellectual Property Organization
WTO	World Trade Organization

APPENDIX B / ANNEXE B

B. COURTS AND TRIBUNALS ~ COURS ET TRIBUNAUX

(B-1) General Rules ~ Règles générales

This appendix contains a list of abbrevations of courts and tribunals, both current and historical. Place the jurisdictional abbreviation before or after the court abbreviation according to the rules below.

Identify the **court** unless it is obvious from the reporter (SCR). See section 3. 9. Identify the **jurisdiction** unless it is obvious from the name of the court or the reporter (TAQ). For English abbreviations, the abbreviation for the province, territory, or state normally precedes the abbreviation for the court (NBCA; Qc Sup Ct). For French abbreviations, provide the abbreviation for the province after the abbreviation of the court for Ontario, New Brunswick and Quebec (CA NB; CS Qc), otherwise follow the English rule.

Identify the **country** if the province, territory or state is unfamiliar to the majority of readers and is not found in this *Guide*. Generally, courts located in a province, territory, or state are only identified using the abbreviation of that province, territory, or state. For example, it would be incorrect to write "NSWCA Austl" or "NSCA Can" because it is redundant.

Generally, federal, national, and unitary courts are identified by their country unless the country is obvious either from the reporter or from the abbreviation of the court itself. (The jurisdiction is obvious from the court's abbreviation when the name of the jurisdiction is contained in the abbreviation or when no other court shares the abbreviation.)

When citing from the Citizenship Appeals Court of Canada, the Court Martial Appeal Court, or the Exchequer Court of Canada, include the abbreviation Can (Cit AC Can). For any other Canadian federal court, the jurisdiction is obvious and Can should not be included.

The country abbreviation normally follows the court abbreviation (DCNZ), but there are exceptions, especially if the name of the jurisdiction is part of the name of the court (NZCA).

In **court acronyms**, there is no space in an abbreviation consisting solely of upper case letters. Leave a space when an abbreviation consists of both upper case letters and lower case letters (BCCA; Ont Div Ct; NS Co Ct; Alta QB).

Include the abbreviation of the **federal or provincial administrative agency or tribunal** in parentheses at the end of the citation if it is not evident from the title of the cited reporter. If an abbreviation cannot be found, use the full name. Use the abbreviation as it is provided by the administrative body. For further information, see section 3.14.

NB: In English, the abbreviation for "Supreme Court of Canada" is SCC, and the abbreviation for Superior Court is Sup Ct. In French, "Cour suprême du Canada" is abbreviated CSC and "Cour supérieure" is abbreviated CS. Also, note that the American abbreviations are Super Ct for "Superior Court" and Sup Ct for a state Supreme Court.

Cette annexe comprend une liste des abréviations des cours et des tribunaux, à la fois actuels et historiques. Mettre l'abréviation des indications géographiques avant ou après l'abréviation des cours en respectant les règles ci-dessous.

Identifier **la cour**, à moins que le recueil n'indique l'information (**RCS**). Voir section 3.9. Identifier **l'indication géographique**, à moins que cette information ne puisse être déduite du nom de la cour ou du recueil (**TAQ**).

Pour les abréviations en anglais, l'abréviation de la province, du territoire ou de l'État précède normalement l'abréviation de la cour (**NBCA** ; **Qc Sup Ct**). Pour les abréviations en français, fournir l'abréviation de la province après l'abréviation de la cour pour l'Ontario, le Nouveau-Brunswick et le Québec (**CA NB** ; **CS Qc**). Dans tous les autres cas, respecter la règle d'abréviation en anglais.

Identifier **le pays** si l'abréviation de la province, du territoire ou de l'État risque de ne pas être connue des lecteurs ou n'est pas fournie dans ce *Manuel*. Généralement, les cours siégeant dans une province, un territoire ou un État sont déjà identifiées par l'abréviation de la province, du territoire ou de l'État. Par exemple, il serait redondant d'écrire « NSWCA Austl » ou « NSCA Can ».

Les cours fédérale, nationale et unitaire sont identifiées par le nom du pays, à moins que celui-ci ne puisse être déduit du recueil ou de l'abréviation de la cour.

Lorsqu'on renvoie à la Cour d'appel de citoyenneté, la Cour d'appel de la cour martiale du Canada, ou la Cour de l'Échiquier, il faut inclure l'abréviation **Can** (**CA cit Can**). Pour toute autre cour fédérale, l'indication géographique **Can** est évidente et ne doit pas être incluse.

L'abréviation du pays suit l'abréviation de la cour (**DCNZ**), sauf si le nom de la juridiction fait partie du nom de la cour (par ex. **NZCA**).

Pour les **acronymes des cours**, il n'y a pas d'espace entre les lettres majuscules des abréviations. Toutefois, il y a un espace quand l'abréviation est formée de minuscules et/ou de majuscules (**CQ** ; **BCCA** ; **CQ crim & pén**).

Indiquer l'abréviation de **l'organe ou du tribunal administratif** entre parenthèses à la fin de la référence, s'il est impossible de le déduire du titre du recueil (utiliser le nom au complet si aucune abréviation n'est trouvée). Utiliser l'abréviation utilisée par l'organe administratif. Pour plus d'informations, voir la section 3.14.

N.B. En anglais, l'abréviation de « Supreme Court of Canada » est **SCC** et l'abréviation des cours supérieures est **Sup Ct**. En français, ces abréviations sont inversées : « Cour suprême du Canada » devient **CSC** et « Cour supérieure » devient **CS**. De plus, noter que les abréviations américaines sont **Super Ct** pour « Superior Court » et **Sup Ct** pour la Cour suprême des États-Unis.

(B-2) Abbreviations ~ Abréviations

Court or Tribunal / Cour ou tribunal	Abbreviation / Abréviation
Frequent abbreviations / Abréviations principales	
Cour d'appel	CA
Cour provinciale	CP
Cour supérieure	CS
Cour Suprême du Canada	CSC
Court of Appeal	CA
Court of Justice	Ct J
Federal Court of Appeal	FCA
High Court	HC
Provincial Court	Prov Ct
Superior Court	Sup Ct
Traffic Court	Traffic Ct
Youth Court	Youth Ct
Canadian Courts / Cours canadiennes	
Coroners Court	Cor Ct
Cour canadienne de l'impôt	CCI
Cour d'appel	CA
Cour d'appel de la cour martiale	CACM
Cour d'appel fédérale	CAF
Cour de comté	Cc
Cour de l'Ontario, division générale	Div gén Ont
Cour des divorces et des causes matrimoniales	C div & causes mat
Cour des juges de la Cour de comté siégeant au criminel	C j Cc crim
Cour des petites créances	C pet cré

Cour des successions	C succ
Cour divisionnaire	C div
Cour du Banc de la Reine	BR
Cour du Banc de la Reine (Division de la famille)	BR (div fam)
Cour du Banc de la Reine (Division de première instance)	BR (1re inst)
Cour du Québec	CQ
Cour du Québec, Chambre civile	CQ civ
Cour du Québec, Chambre civile (Division des petites créances)	CQ civ (div pet cré)
Cour du Québec, Chambre criminelle et pénale	CQ crim & pén
Cour du Québec, Chambre de la jeunesse	CQ jeun
Cour fédérale, première instance	CF (1re inst)
Cour municipale	CM
Cour provinciale	CP
Cour provinciale (Division civile)	CP Div civ
Cour provinciale (Division criminelle)	CP Div crim
Cour provinciale (Division de la famille)	CP Div fam
Cour supérieure	CS
Cour supérieure (Chambre administrative)	CS adm
Cour supérieure (Chambre civile)	CS civ
Cour supérieure (Chambre criminelle et pénale)	CS crim & pén
Cour supérieure (Chambre de la faillite et de l'insolvabilité)	CS fail & ins
Cour supérieure (Chambre de la famille)	CS fam
Cour supérieure (Division des petites créances)	CS pét cré
Cour suprême (Division d'appel)	C supr A
Cour suprême (Division de la famille)	C supr fam
Cour suprême (Division du Banc de la Reine)	C supr BR
Cour suprême du Canada	CSC

Court Martial Appeal Court	Ct Martial App Ct
Court of Appeal	CA
Court of Appeal in Equity	CA Eq
Court of Justice (General Division)	Ct J (Gen Div)
Court of Justice (General Division, Family Court)	Ct J (Gen Div Fam Ct)
Court of Justice (General Division, Small Claims Court)	Ct J (Gen Div Sm Cl Ct)
Court of Justice (Provincial Division)	Ct J (Prov Div)
Court of Justice (Provincial Division, Youth Court)	Ct J (Prov Div Youth Ct)
Court of Quebec	CQ
Court of Quebec (Civil Division)	CQ (Civ Div)
Court of Quebec (Civil Division, Small Claims)	CQ (Civ Div Sm Cl)
Court of Quebec (Criminal & Penal Division)	CQ (Crim & Pen Div)
Court of Quebec (Youth Division)	CQ (Youth Div)
Court of Queen's Bench	QB
Court of Queen's Bench (Family Division)	QB (Fam Div)
Court of Queen's Bench (Trial Division)	QB (TD)
Divisional Court	Div Ct
Divorce and Matrimonial Causes Court	Div & Mat Causes Ct
Federal Court (Trial Division)	FCTD
Federal Court of Appeal	FCA
High Court of Justice	H Ct J
Municipal Court	Mun Ct
Probate Court	Prob Ct
Provincial Court (Civil Division)	Prov Ct (Civ Div)
Provincial Court (Civil Division, Small Claims Court)	Prov Ct (Civ Div Sm Cl Ct)
Provincial Court (Criminal Division)	Prov Ct (Crim Div)
Provincial Court (Family Court)	Prov Ct (Fam Ct)

Provincial Court (Family Division)	Prov Ct (Fam Div)
Provincial Court (Juvenile Division)	Prov Ct (Juv Div)
Provincial Court (Small Claims Division)	Prov Ct (Sm Cl Div)
Provincial Court (Youth Court)	Prov Ct (Youth Ct)
Provincial Court (Youth Division)	Prov Ct (Youth Div)
Provincial Offences Court	Prov Off Ct
Small Claims Court	Sm Cl Ct
Superior Court (Administrative Division)	Sup Ct (Adm Div)
Superior Court (Bankruptcy and Insolvency Division)	Sup Ct (Bank & Ins Div)
Superior Court (Canada)	Sup Ct
Superior Court (Civil Division)	Sup Ct (Civ Div)
Superior Court (Criminal and Penal Division)	Sup Ct (Crim & Pen Div)
Superior Court (Family Division)	Sup Ct (Fam Div)
Superior Court (Small Claims Division)	Sup Ct (Sm Cl Div)
Supreme Court (Appellate Division) (Can provincial / Can Provinciale)	SC (AD)
Supreme Court (Family Division)	SC (Fam Div)
Supreme Court (Queen's Bench Division)	SC (QB Div)
Supreme Court (Trial Division)	SC (TD)
Supreme Court of Canada	SCC
Tax Court of Canada	TCC
Tax Review Board	T Rev B
Territorial Court	Terr Ct
Territorial Court (Youth Court)	Terr Ct Youth Ct

UK Courts / Cours du Royaume-Uni

Chancery Court	Ch
Court of Justice (Scotland / Écosse)	Ct Just

Court of Sessions (Scotland / Écosse)	Ct Sess
High Court: Chancery Division (UK / R-U)	ChD
High Court: Family Division (UK / R-U)	FamD
High Court: Queen's Bench Division (UK / R-U)	QBD
High Court of Admiralty	HC Adm
High Court of Justice	HCJ
House of Lords (England / Angleterre)	HL (Eng)
House of Lords (Scotland / Écosse)	HL (Scot)
Judicial Committee of the Privy Council (Commonwealth)	PC
Stipendiary Magistrates' Court	Stip Mag Ct

United States Courts / Cours américaines

Administrative Court	Admin Ct
Admiralty [Court, Division]	Adm
Alderman's Court	Alder Ct
Appeals Court	App Ct
Appellate Court	App Ct
Appellate Division	App Div
Bankruptcy [Court, Judge]	Bankr
Bankruptcy Appellate Panel	BAP
Board of Tax Appeals (US / É-U)	BTA
Borough Court	[name] Bor Ct
Chancery [Court, Division]	Ch
Children's Court	Child Ct
Circuit Court	Cir Ct
Circuit Court and Family Court	Cir Ct & Fam Ct
Circuit Court of Appeals (federal, US / fédéral, É-U)	Cir
Circuit Court of Appeals (state)	Cir Ct App

Citizenship Appeals Court (US / É-U)	Cit AC
City and Parish Courts	City & Parish Ct
City Court	[name] City Ct
Civil Appeals	Civ App
Civil Court	Civ Ct
Civil Court of Record	Civ Ct Rec
Civil District Court	Civ Dist Ct
Claims Court	Cl Ct
Commerce Court	Comm Ct
Common Pleas	CP
Commonwealth Court	Commw Ct
Conciliation Court	Concil Ct
Constitutional County Court	Const County Ct
County Court	Co Ct
County Court at Law	County Ct at Law
County Court Judges' Criminal Court	Co Ct J Crim Ct
County Judge's Court	County J Ct
County Recorder's Court	County Rec Ct
Court of [General, Special] Sessions	Ct [Gen, Spec] Sess
Court of Appeal[s] (state)	Ct App
Court of Appeals (federal)	Cir
Court of Chancery	Ct Ch
Court of Civil Appeals	Ct Civ App
Court of Claims	Ct Cl
Court of Common Pleas	Ct Com Pl
Court of Criminal Appeals	Ct Crim App
Court of Customs and Patent Appeals	CCPA

Chicago-Kent Law Review	Chicagio-Kent L Rev
Chicano-Latino Law Review *(formerly / anciennement Chicano Law Review)*	Chicano-Latino L Rev
Children's Legal Rights Journal	Child Leg Rts J
China Law Reporter	China L Rep
Chinese Yearbook of International Law and Affairs	Chinese YB Intl L & Aff
Chitty's Law Journal	Chitty's LJ
Civil Justice Quarterly	CJQ
Civil Liberties Review	Civ Lib Rev
Cleveland State Law Review	Clev St L Rev
Cleveland-Marshall Law Review	Clev-Marshall L Rev
Clinical Law Review	Clinical L Rev
Coastal Management	Coastal Mgmt
Colorado Journal of International Environmental Law & Policy	Colo J Intl Envtl L & Pol'y
Colorado Lawyer	Colo Lawyer
Columbia Business Law Review	Colum Bus L Rev
Columbia Human Rights Law Review	Colum HRLR
Columbia Journal of Asian Law *(formerly / anciennement Journal of Chinese Law)*	Colum J Asian Law
Columbia Journal of East European Law	Colum J E Eur L
Columbia Journal of Environmental Law	Colum J Envtl L
Columbia Journal of European Law	Colum J Eur L
Columbia Journal of Gender and Law	Colum J Gender & L
Columbia Journal of Law and Social Problems	Colum JL & Soc Probs
Columbia Journal of Law and the Arts	Colum J L & Arts
Columbia Journal of Transnational Law	Colum J Transnat'l L
Columbia Law Review	Colum L Rev
Columbia Science and Technology Law Review	Colum Sci & Tech L Rev
Commercial Law Journal	Com LJ
Commercial Leasing Law and Strategy	Com Leasing L & Strategy
Common Law World Review	Comm L World Rev
Common Market Law Review	CML Rev
Commonwealth Law Bulletin	Commonwealth L Bull
Commonwealth Legal Education	Commonwealth Leg Educ
Communication Law & Policy	Comm L & Pol'y
Communications Lawyer	Comm Lawyer

Comparative and International Law Journal of Southern Africa	Comp & Intl LJS Afr
Comparative Juridical Review	Comp Jurid Rev
Comparative Labor Law and Policy Journal *(formerly / anciennement Comparative Labor Law Journal)*	Comp Lab L & Pol'y J
Computer Law and Security Report	Computer L & Sec Report
Computer Law Review and Technology Journal	Computer L Rev & Tech J
Computer Lawyer	Computer Lawyer
Congressional Digest	Cong Dig
Connecticut Bar Journal	Conn Bar J
Connecticut Insurance Law Journal	Conn Ins LJ
Connecticut Journal of International Law	Conn J Intl L
Connecticut Public Interest Law Journal	Conn Pub Int LJ
Connecticut Probate Law Journal	Conn Prob LJ
Connecticut Law Review	Conn L Rev
Constitutional Commentary	Const Commentary
Constitutional Forum Constitutionnel	Const Forum Const
Construction Law Journal	Construction LJ
Construction Lawyer	Construction Lawyer
Consumer Finance Law Quarterly Report	Cons Fin LQ Rep
Cooley Law Review	Cooley L Rev
Copyright Bulletin	Copyright Bull
Cornell International Law Journal	Cornell Intl LJ
Cornell Journal of Law & Public Policy	Cornell JL & Pub Pol'y
Cornell Law Review	Cornell L Rev
Corporate Taxation	Corp Tax'n
Cours de perfectionnement du notariat	CP du N
Creighton Law Review	Creighton L Rev
Crime, Law and Social Change	Crime L & Soc Change
Criminal Law Forum	Crim LF
Criminal Law Quarterly	Crim LQ
Criminal Law Review	Crim L Rev
Criminologie	Criminol
Critical Criminology	Crit Criminol
Croatian Arbitration Yearbook	Croatian Arb YB
Croatian Critical Law Review	Croat Crit L Rev

Cumberland Law Review	Cumb L Rev
Current Law Yearbook	Current LYB
Current Legal Problems	Current Leg Probs
Currents: International Trade Law Journal	Currents: Intl Trade LJ
Dalhousie Journal of Legal Studies	Dal J Leg Stud
Dalhousie Law Journal	Dal LJ
Defense Counsel Journal	Def Couns J
Delaware Journal of Corporate Law	Del J Corp L
Delaware Law Review	Del L Rev
Denver Journal of International Law & Policy	Denv J Intl L & Pol'y
Denver University Law Review *(formerly / anciennement Denver Law Journal)*	Denv UL Rev
Department of State Bulletin	Dep't St Bull
DePaul Business & Commercial Law Journal *(formerly / anciennement DePaul Business Law Journal)*	DePaul Bus & Comm LJ
DePaul Journal of Health Care Law	DePaul J Health Care L
DePaul Law Review	DePaul L Rev
DePaul-LCA Journal of Art and Entertainment Law and Policy	DePaul-LCA J Art & Ent L & Pol'y
Dickinson Journal of Environmental Law & Policy	Dick J Envtl L & Pol'y
Dickinson Journal of International Law	Dick J Intl L
Dickinson Law Review	Dick L Rev
Dispute Resolution Journal *(formerly / anciennement Arbitration Journal)*	Disp Resol J
District of Columbia Law Review	DCL Rev
Drake Journal of Agricultural Law	Drake J Agric L
Drake Law Review	Drake L Rev
Droit africain du travail	DAT
Droit des sociétés	Dr soc
Droit et cultures	Dr et cult
Droit et patrimoine	Dr et pat
Droit et société	Dr et soc
Droit européen des transports	Dr eur transp
Droit maritime français	Dr marit fr
Droit social	Dr social
Duke Environmental Law & Policy Forum	Duke Envtl L & Pol'y F
Duke Journal of Comparative & International Law	Duke J Comp & Intl L
Duke Journal of Gender Law & Policy	Duke J Gender L & Pol'y

Duke Law and Technology Review	Duke L & Tech Rev
Duke Law Journal	Duke LJ
Duquesne Business Law Journal	Duq Bus LJ
Duquesne Law Review	Duq L Rev
East European Business Law	E Eur Bus L
East European Constitutional Review	E Eur Const Rev
East European Human Rights Review	E Eur HR Rev
Ecology Law Quarterly	Ecology LQ
Edinburgh Law Review	Ed L Rev
Education & Law Journal	Educ & LJ
Elder Law Journal	Elder LJ
Election Law Journal	Election LJ
Electronic Journal of Comparative Law	Electronic J Comp L
Emory Bankruptcy Developments Journal	Emory Bankr Dev J
Emory International Law Review *(formerly / anciennement Emory Journal of International Dispute Resolution)*	Emory Intl L Rev
Emory Law Journal	Emory LJ
Employee Rights & Employment Policy Journal	Employee Rts & Employment Pol'y J
Energy Law Journal	Energy LJ
Entertainment & Sports Lawyer	Ent & Sports Lawyer
Entertainment Law & Finance	Ent L & Fin
Environmental Law	Envtl L
Environmental Law and Management	Envtl L & Mgmt
Environmental Law and Policy Journal	Envtl L & Pol'y J
Environmental Law Journal	Envtl LJ
Environmental Lawyer	Envtl Lawyer
Environmental Policy and Law	Envtl Pol'y & L
Environs: Environmental Law and Policy Journal	Environs
Estates, Trusts and Pensions Journal *(formerly / anciennement Estates and Trusts Journal)*	Est Tr & Pensions J
Estates and Trusts Journal *(formerly / anciennement Estates and Trusts Quarterly)*	Est & Tr J
Estates and Trusts Quarterly	E & TQ
Estates Trusts & Pensions Journal	ETPJ
Études internationales	Études int

European Business Law Review	Eur Bus L Rev
European Competition Law Review	Eur Competition L Rev
European Environmental Law Review	Eur Envtl L Rev
European Human Rights Law Review	Eur HRL Rev
European Intellectual Property Review	Eur IP Rev
European Journal for Education Law and Policy	Eur J Educ L & Pol'y
European Journal of Crime, Criminal Law, and Criminal Justice	Eur J Crime, Crim L & Crim J
European Journal of Criminal Policy & Research	Eur J Crim Pol'y & Research
European Journal of Health Law	Eur J Health L
European Journal of International Law	Eur J Intl L
European Journal of Law & Economics	Eur J L & Econ
European Journal of Law Reform	Eur J L Reform
European Journal of Migration and Law	Eur J Migr & L
European Journal of Social Security	Eur J Soc Sec
European Law Journal	Eur LJ
European Law Review	Eur L Rev
European Legal Forum	Eur Leg F
European Review of Private Law	Eur R Priv L
European Transport Law	Eur Transp L
Family Court Review *(formerly / anciennement Family & Conciliation Courts Review)*	Fam Ct Rev
Family Law Quarterly	Fam LQ
Family Law Review	Fam L Rev
Federal Bar News and Journal	Fed B News & J
Federal Circuit Bar Journal	Fed Cir BJ
Federal Communications Law Journal	Fed Comm LJ
Federal Courts Law Review	Fed Cts L Rev
Feminist Legal Studies	Fem Leg Stud
Florida Bar Journal	Fla BJ
Florida Coastal Law Review	Fla Coastal L Rev
Florida Journal of International Law	Fla J Intl L
Florida Law Review *(formerly / anciennement University of Florida Law Review)*	Fla L Rev
Florida State Journal of Transnational Law & Policy	Fla St J Transnat'l L & Pol'y
Florida State University Journal of Land Use & Environmental Law	Fla St UJ Land Use & Envtl L

Florida State University Law Review	Fla St UL Rev
Florida Tax Review	Fla Tax Rev
Food & Drug Law Journal	Food & Drug LJ
Fordham Environmental Law Review	Fordham Envtl LJ
Fordham Finance, Securities & Tax Law Forum	Fordham Fin Sec & Tax LF
Fordham Intellectual Property, Media & Entertainment Law Journal	Fordham IP Media & Ent LJ
Fordham International Law Journal	Fordham Intl LJ
Fordham Journal of Corporate and Finance Law (*formerly / anciennement Fordham Finance, Securities and Tax Law Forum*)	Fordham J Corp & Fin L
Fordham Law Review	Fordham L Rev
Fordham Urban Law Journal	Fordham Urb LJ
FORUM du droit international	FORUM
George Mason Law Review	Geo Mason L Rev
George Mason University Civil Rights Law Journal	Geo Mason U Civ Rts LJ
George Washington International Law Review (*formerly / anciennement George Washington Journal of International Law and Economics*)	Geo Wash Intl L Rev
George Washington Law Review	Geo Wash L Rev
Georgetown Immigration Law Journal	Geo Immigr LJ
Georgetown International Environmental Law Review	Geo Intl Envtl L Rev
Georgetown Journal of Gender and the Law	Geo J Gender & L
Georgetown Journal of International Law	Geo J Intl L
Georgetown Journal of Legal Ethics	Geo J Leg Ethics
Georgetown Journal on Poverty Law & Policy (*formerly / anciennement Georgetown Journal on Fighting Poverty*)	Geo J on Poverty L & Pol'y
Georgetown Law Journal	Geo LJ
Georgetown Public Policy Review	Geo Pub Pol'y Rev
Georgia Journal of International and Comparative Law	Ga J Intl & Comp L
Georgia Law Review	Ga L Rev
Georgia State University Law Review	Ga St U L Rev
Global Business Law Review	Global Bus L Rev
Golden Gate University Law Review	Golden Gate UL Rev
Gonzaga Law Review	Gonz L Rev
Great Plains Natural Resources Journal	Great Plains Nat Resources J
Griffith Law Review	Griffith L Rev
Hague Yearbook of International Law	Hague YB Intl L
Hamline Journal of Public Law and Policy	Hamline J Pub L & Pol'y

Hamline Law Review	Hamline L Rev
Harvard BlackLetter Law Journal	Harv BlackLetter LJ
Harvard Civil Rights-Civil Liberties Law Review	Harv CR-CLL Rev
Harvard Environmental Law Review	Harv Envtl L Rev
Harvard Human Rights Journal *(formerly / anciennement Harvard Human Rights Yearbook)*	Harv Hum Rts J
Harvard International Law Journal	Harv Intl LJ
Harvard Journal of Law & Technology	Harv JL & Tech
Harvard Journal of Law and Gender	Harv JL & Gender
Harvard Journal of Law and Public Policy	Harv JL & Pub Pol'y
Harvard Journal on Legislation	Harv J on Legis
Harvard Law Review	Harv L Rev
Harvard Negotiation Law Review	Harv Negot L Rev
Harvard Women's Law Journal	Harv Women's LJ
Hastings Communications & Entertainment Law Journal	Hastings Comm & Ent LJ
Hastings Constitutional Law Quarterly	Hastings Const LQ
Hastings International and Comparative Law Review	Hastings Intl & Comp L Rev
Hastings Law Journal	Hastings LJ
Hastings West-Northwest Journal of Environmental Law and Policy	Hastings W-Nw J Envtl L & Pol'y
Hastings Women's Law Journal	Hastings Women's LJ
Hawaii Bar Journal	Haw Bar J
Hawaiil Law Review	Haw L Rev
Health and Human Rights	Health & Hum Rts
Health Law in Canada	Health L Can
Health Law Journal	Health LJ
Heidelberg Journal of International Law	Heidelberg J Intl L
High Technology Law Journal	High Tech LJ
Hitotsubashi Journal of Law and Politics	HJLP
Hofstra Labor & Employment Law Journal	Hofstra Lab & Empl LJ
Hofstra Law Review	Hofstra L Rev
Hofstra Property Law Journal	Hofstra Prop LJ
Holdsworth Law Review	Hold LR
Hong Kong Law Journal	Hong Kong LJ
Houston Journal of International Law	Hous J Intl L
Houston Law Review	Hous L Rev

Howard Journal of Criminal Justice	How J Crim Justice
Howard Law Journal	How LJ
Howard Scroll: The Social Justice Law Review	How Scroll
Human Rights in Development	Hum Rts Dev
Human Rights Internet Reporter	HRIR
Human Rights Journal	Hum Rts J
Human Rights Law Journal	HRLJ
Human Rights Quarterly	Hum Rts Q
Human Rights Tribune	Hum Rts Trib
ICSID Review	ICSID Rev
Idaho Law Review	Idaho L Rev
IDEA: The Journal of Law and Technology	IDEA
Illinois Bar Journal	Ill BJ
Illinois Law Quarterly	Ill LQ
ILSA Journal of International & Comparative Law	ILSA J Intl & Comp L
Immigration and Nationality Law Review	Immig & Nat'lity L Rev
Indiana International and Comparative Law Review	Ind Intl & Comp L Rev
Indiana Journal of Global Legal Studies	Ind J Global Leg Stud
Indiana Law Journal	Ind LJ
Indiana Law Review	Ind L Rev
Indigenous Law Journal	Indigenous LJ
Industrial & Labor Relations Review	Indus & Lab Rel Rev
Industrial Law Journal	Indus LJ
Industrial Relations Law Journal	Indus Rel LJ
Information and Communications Technology Law	Inf & Comm Tech L
Information Bulletin on Legal Affairs (Council of Europe)	Inf Bull
Insolvency Bulletin	Insol Bull
Intellectual and Comparative Law Quarterly	ICLQ
Intellectual Property & Technlology Forum	IP & Tech F
Intellectual Property & Technology Law Review	IP & Tech L Rev
Intellectual Property Journal	IPJ
Intellectual Property Law Bulletin	IPL Bull
Intellectual Property Law Newsletter	IPL News
International and Comparative Corporate Law Journal	Intl & Comp Corp LJ
International and Comparative Law Quarterly (*formerly / anciennement British*	ICLQ

Institute of International and Comparative Law)	
International and Comparative Law Review	Intl & Comp L Rev
International Arbitration Law Review	Intl Arb L Rev
International Business Law Journal	IBLJ
International Business Lawyer	Intl Bus Lawyer
International Commercial Litigation	Intl Com Lit
International Commission of Jurists Review	Intl Commission Jur Rev
International Community Law Review (*formerly / anciennement International Law FORUM du droit international*)	Intl Community L Rev
International Company and Commercial Law Review	Intl Co & Com L Rev
International Criminal Law Review	Intl Crim L Rev
International Financial Law Review	Intl Fin L Rev
International Insights	Intl Insights
International Insurance Law Review	Intl Ins L Rev
International Journal	Intl J
International Journal for Jurisprudence and Legal Philosophy	Intl J Juris & Leg Phil
International Journal for the Semiotics of Law	Intl J Sem L
International Journal of Children's Rights	Intl J Child Rts
International Journal of Communications Law & Policy	Intl J Comm L & Pol'y
International Journal of Comparative Labour Law and Industrial Relations	Intl J Comp Lab L & Ind Rel
International Journal of Conflict Management	Intl J Confl Mgmt
International Journal of Cultural Property	Intl J Cult Prop
International Journal of Franchising and Distribution Law	Intl J Franch & Distrib L
International Journal of Human Rights	Intl JHR
International Journal of Offender Therapy and Comparative Criminology	Intl J Off Ther & Comp Crim
International Journal of Law and Information Technology	Intl JL & IT
International Journal of Law and Psychiatry	Intl J L & Psychiatry
International Journal of Law Policy and the Family	Intl JL Pol'y & Fam
International Journal of Legal Information	Intl J Leg Info
International Journal of Marine and Coastal Law	Intl J Mar & Coast L
International Journal of the Sociology of Law	Intl J Soc L
International Journal of Refugee Law	Intl J Refugee L
International Lawyer	Intl Lawyer
International Legal Materials	ILM
International Legal Perspectives	Intl Leg Persp

International Legal Practitioner	Intl Leg Practitioner
International Legal Theory	Intl Leg Theory
International Maritime and Commercial Law Yearbook	Intl Mar & Com L YB
International Review of Criminal Policy	Intl Rev Crim Pol'y
International Review of Industrial Property and Copyright Law	Intl Rev Ind Prop & C'right L
International Review of Law & Economics	Intl Rev L & Econ
International Review of Law Computers & Technology	Intl Rev L Comp & Tech
International Review of the Red Cross	Intl Rev Red Cross
International Tax and Business Lawyer	Intl Tax & Bus Lawyer
International Trade Law & Regulation	Intl Trade L Reg
International Trade Law and Practice	Intl Trade L & Pract
International Trade Law Quarterly	ITLQ
Iowa Law Review	Iowa L Rev
Irish Jurist	Ir Jur
Islamic Law & Society	Islamic L & Soc
Israel Law Review	Israel LR
Issues in Law & Medicine	Issues L & Med
Jersey Law Review	Jersey L Rev
Jewish Law Report	Jewish LR
John Marshall Journal of Computer and Information Law	John Marshall J Computer & Info L
John Marshall Law Quarterly	John Marshall LQ
John Marshall Law Review	John Marshall L Rev
Journal de droit européen	JDE
Journal des juges provinciaux	J juges prov
Journal des notaires et des avocats	J not et av
Journal des tribunaux	J Tribun
Journal du Barreau	J du B
Journal du droit des jeunes	J dr jeunes
Journal du droit international	JDI
Journal of Affordable Housing and Community Development Law	J Aff Housing & Community Dev L
Journal of African Law	J Afr L
Journal of Agricultural Law	J Agric L
Journal of Air Law	J Air L
Journal of Air Law and Commerce	J Air L & Com
Journal of Animal Law	J Animal L

Journal of Animal Law and Ethics	J Animal L & Ethics
Journal of Appellate Practice & Process	J App Pr & Pro
Journal of Art & Entertainment Law	J Art & Ent L
Journal of BioLaw & Business	J BioLaw & Bus
Journal of Business Law	J Bus L
Journal of Catholic Legal Studies (*formerly / anciennement The Catholic Lawyer*)	J Cath Leg Stud
Journal of Chinese Law	J Chinese L
Journal of College and University Law	JC & UL
Journal of Commonwealth Law and Legal Education	J Commonwealth L & Leg Educ
Journal of Comparative Business and Capital Market Law	J Comp Bus & Cap Mkt L
Journal of Conflict and Security Law (*formerly / anciennement Journal of Armed Conflict Law*)	J Confl & Sec L
Journal of Conflict Resolution	J Confl Resolution
Journal of Constitutional Law in Eastern and Central Europe	J Const LE & Cent Eur
Journal of Contemporary Health Law & Policy	J Contemp Health L & Pol'y
Journal of Contemporary Law	J Contemp L
Journal of Contemporary Legal Issues	J Contemp Leg Issues
Journal of Corporate Taxation	J Corp Tax'n
Journal of Corporation Law	J Corp L
Journal of Criminal Justice Education	J Crim J Educ
Journal of Criminal Law	J Crim L
Journal of Criminal Law & Criminology	J Crim L & Criminology
Journal of Dispute Resolution	J Disp Resol
Journal of Empirical Legal Studies	J Empirical Leg Stud
Journal of Energy, Natural Resources & Environmental Law	J Energy Nat Resources & Envtl L
Journal of Energy Law & Policy	J Energy L & Pol'y
Journal of Environmental Law	J Envtl L
Journal of Environmental Law & Litigation	J Envtl L & Litig
Journal of Environmental Law & Practice	J Envtl L & Prac
Journal of European Integration	J Eur Integration
Journal of Family Law	J Fam L
Journal of Gender, Race & Justice	J Gender Race & Just
Journal of Health and Hospital Law	J Health & Hosp L
Journal of Health Care Law and Policy	J Health Care L & Pol'y

Journal of Health Politics, Policy and Law	J Health Pol Pol'y & L
Journal of Information, Law and Technology	J Inf L & Tech
Journal of Intellectual Property	J Intell Prop
Journal of Intellectual Property Law	J Intell Prop L
Journal of International Arbitration	J Intl Arb
Journal of International Banking Law and Regulation	J Intl Banking L & Reg
Journal of International Economic Law	J Intl Econ L
Journal of International Financial Markets, Institutions and Money	J Intl Fin Markets Inst & Money
Journal of International Law & Business	J Intl L & Bus
Journal of International Legal Studies	J Intl Leg Stud
Journal of International Taxation	J Intl Tax
Journal of International Wildlife Law and Policy	J Intl Wildlife L & Pol'y
Journal of Juvenile Law	J Juvenile L
Journal of Land, Resources and Environmental Law (*formerly / anciennement Journal of Energy, Natural Resources and Environmental Law*)	J Land Resources & Envtl L
Journal of Land Use and Environmental Law	J Land Use & Envtl L
Journal of Law, Information & Science	J L Info & Sci
Journal of Law, Medicine and Ethics	JL Med & Ethics
Journal of Law and Commerce	JL & Com
Journal of Law and Economics	JL & Econ
Journal of Law and Education	JL & Educ
Journal of Law and Equality	JL & Equality
Journal of Law and Family Studies	JL & Fam Stud
Journal of Law and Health	JL & Health
Journal of Law, Economics and Organization	JL Econ & Org
Journal of Law and Policy	JL & Pol'y
Journal of Law and Politics	JL & Pol
Journal of Law and Religion	JL & Religion
Journal of Law and Social Policy	J L & Soc Pol'y
Journal of Law and Society	JL & Soc'y
Journal of Law in Society	JL in Soc'y
Journal of Legal Advocacy and Practice	J Leg Advoc & Prac
Journal of Legal Economics	J Leg Econ
Journal of Legal Education	J Leg Educ
Journal of Legal History	J Leg Hist

Journal of Legal Medicine	J Leg Med
Journal of Legal Pluralism and Unofficial Law (*formerly / anciennement Journal of Legal Pluralism*)	J Leg Pluralism & Unofficial L
Journal of Legal Studies	J Leg Stud
Journal of Legislation	J Legis
Journal of Legislation and Public Policy	J Legis & Pub Pol'y
Journal of Maritime Law & Commerce	J Mar L & Com
Journal of Medicine and Law	J Med & L
Journal of Mineral Law & Policy	J Min L & Pol'y
Journal of Multistate Taxation and Incentives	J Multistate Tax'n & Incentives
Journal of Natural Resources & Environmental Law (*formerly / anciennement Journal of Mineral Law & Policy*)	J Nat Resources & Envtl L
Journal of Parliamentary and Political Law	JPPL
Journal of Personal Injury Law	J Pers Inj L
Journal of Pharmacy and Law	J Pharmacy & L
Journal of Planning and Environmental Law	J Plan & Envtl L
Journal of Politics and Law	J Politics & L
Journal of Private International Law	J Priv Intl L
Journal of Products Liability	J Prod Liab
Journal of Proprietary Rights	J Proprietary Rts
Journal of Public Policy, Administration and the Law	J Pub Pol'y Admin & L
Journal of Science & Technology Law	J Sci & Tech L
Journal of Small & Emerging Business Law	J Small & Emerging Bus L
Journal of Social Welfare and Family Law (*formerly / anciennement Journal of Social Welfare Law*)	J Soc Welfare & Fam L
Journal of Social Welfare Law	J Soc Welfare L
Journal of South Pacific Law	J South Pac L
Journal of Southern Legal History	J South Leg Hist
Journal of Space Law	J Space L
Journal of Taxation	J Tax'n
Journal of Technology Law & Policy	J Tech L & Pol'y
Journal of the History of International Law	J Hist Intl L
Journal of the Indian Law Institute	J Indian L Inst
Journal of the Institute for the Study of Legal Ethics	J Inst for Study Leg Ethics
Journal of the Law Society of Scotland	JL Soc Scotland
Journal of the Legal Profession	J Leg Prof

Journal of the Patent & Trademark Office Society	J Pat & Trademark Off Soc'y
Journal of the Suffolk Academy of Law	J Suffolk Academy L
Journal of Transnational Law & Policy	J Transnat'l L & Pol'y
Journal of World Trade	J World Trade
Journal of World Trade Law, Economics and Policy	J World Trade L Econ & Pol'y
Juridical Review	Jurid Rev
Kansas Journal of Law & Public Policy	Kan JL & Pub Pol'y
Kansas Law Review	Kan L Rev
Kentucky Children's Rights Journal	Ky Children's Rts J
Kentucky Law Journal	Ky LJ
Korean Journal of International and Comparative Law	Korean J Intl & Comp L
La Raza Law Journal	La Raza LJ
Labor Law Journal	Lab LJ
Labor Lawyer	Lab Lawyer
Land and Water Law Review	Land & Water L Rev
Law & Policy	Law & Pol'y
Law and Business Review of the Americas (*formerly / anciennement NAFTA Law and Business Review of the Americas*)	L & Bus Rev Americas
Law and Contemporary Problems	Law & Contemp Probs
Law and History Review	L & Hist Rev
Law and Inequality	Law & Ineq
Law and Philosophy	Law & Phil
Law and Policy in International Business	Law & Pol'y Intl Bus
Law and Politics Book Review	Law & Pol Book Rev
Law and Practice of International Courts and Tribunals	Law & Prac Intl Cts & Trib
Law and Psychology Review	Law & Psychol Rev
Law and Sexuality: A Review of Lesbian and Gay Legal Issues	Law & Sexuality
Law and Social Inquiry	Law & Soc Inquiry
Law and Society Review	Law & Soc'y Rev
Law Librarian	Law Libr'n
Law Library Journal	Law Libr J
Law Office Management and Administration Report	Law Off Mgmt & Admin Rep
Law Office Technology Review	Law Off Tech Rev
Law Practice Management (formerly / anciennement Legal Economics)	Law Prac Mgmt

Law Quarterly Review	Law Q Rev
Law Review of Michigan State University Detroit College of Law	Law Rev Mich St U Det CL
Law Society Gazette (Law Society of Upper Canada)	L Soc'y Gaz
Law Society's Gazette and Guardian Gazette	L Soc'y Gaz & Guardian Gaz
Law, Technology and Insurance	Law Tech & Ins
Lawyers Journal (*formerly / anciennement Pittsburgh Legal Journal*)	Lawyers J
Legal Ethics (*formerly / anciennement Ethics*)	Leg Ethics
Legal History (*formerly / anciennement Australian Journal of Legal History*)	LH
Legal History Review	Leg Hist Rev
Legal Information Management	Leg Info Mgmt
Legal Issues of Economic / European Integration	LIEI
Legal Medical Quarterly	L Med Q
Legal Reference Services Quarterly	Leg Ref Serv Q
Legal Studies	LS
Legal Theory	Leg Theory
Leiden Journal of International Law	Leiden J Intl L
Lex Electronica : Revue du droit des technologies de l'information	Lex Electronica
Lloyd's Maritime and Commercial Law Quarterly	LMCLQ
Los Angeles Lawyer	LA Lawyer
Louisiana Bar Journal	La BJ
Louisiana Law Review	La L Rev
Lower Canada Jurist	LC Jurist
Lower Canada Law Journal	LCLJ
Loyola Consumer Protection Journal	Loy Con Prot J
Loyola Law Review (New Orleans)	Loy L Rev
Loyola of Los Angeles Entertainment Law Journal	Loy LA Ent LR
Loyola of Los Angeles International & Comparative Law Journal	Loy LA Intl & Comp LJ
Loyola of Los Angeles Law Review	Loy LA L Rev
Loyola Poverty Law Journal	Loy Poverty LJ
Loyola University of Chicago Law Journal	Loy U Chicago LJ
Maastricht Journal of European and Comparative Law	MJECL
Macquarie Jornal of International and Comparative Environmental Law	Macq J Intl & Comp Envtl L
Maine Law Review	Me L Rev
Malaya Law Review	Mal L Rev
Malayan Law Journal	MLJ

Manitoba Bar News	Man Bar N
Manitoba Law Journal	Man LJ
Maori Law Review	Maori L Rev
Marquette Intellectual Property Law Review	Marq Intell Prop L Rev
Marquette Law Review	Marq L Rev
Marquette Sports Law Review	Marq Sports L Rev
Maryland Journal of Contemporary Legal Issues	Md J Contemp Leg Issues
Maryland Journal of International Law (*formerly / anciennement Maryland Journal of International Law and Trade*)	Md J Intl L
Maryland Law Review	Md L Rev
Massachusetts Law Review	Mass L Rev
McGeorge Law Review *(formerly / anciennement Pacific Law Journal)*	McGeorge L Rev
McGill International Journal of Sustainable Development Law and Policy	JSDLP
McGill Journal of Law and Health (*formerly / anciennement McGill Health Law Publication*)	McGill JL & Health
McGill Law Journal	McGill LJ
Media Law & Policy	Media L & Pol'y
Medical Law Review	Med L Rev
Medicine & Law	Med & L
Medicine, Science and the Law	Med Sci Law
Medico-Legal Journal	Med Leg J
Melbourne University Law Review	Melbourne UL Rev
Mercer Law Review	Mercer L Rev
Michigan Bar Journal	Mich Bar J
Michigan Business Law Journal	Mich Bus LJ
Michigan Journal of Gender & Law	Mich J Gender & L
Michigan Journal of International Law	Mich J Intl L
Michigan Journal of Law Reform	Mich JL Reform
Michigan Journal of Race & Law	Mich J Race & L
Michigan Law & Policy Review	Mich L & Pol'y Rev
Michigan Law Journal	Mich LJ
Michigan Law Review	Mich L Rev
Michigan State University — DCL Journal of International Law and Practice (*formerly / anciennement Michigan State University — DCL Journal of International Law*)	MSU-DCL J Intl L & Prac
Michigan Telecommunications & Technology Law Review	Mich Telecomm & Tech L Rev

Military Law Review	Mil L Rev
Minnesota Journal of International Law (*formerly / anciennement Minnesota Journal of Global Trade*)	Minn J Intl L
Minnesota Journal of Law, Science, and Technology (*formerly / anciennement Minnesota Intellectual Property Review*)	Minn J L Sci & Tech
Minnesota Law Review	Minn L Rev
Mississippi College Law Review	Miss CL Rev
Mississippi Law Journal	Miss LJ
Mississippi Law Review	Miss L Rev
Missouri Environmental Law and Policy Review	Mo Envtl L & Pol'y Rev
Missouri Law Review	Mo L Rev
Modern Law Review	Mod L Rev
Monash University Law Review	Monash UL Rev
Monde Juridique	Monde Jur
Money Laundering Law Report	Money Laundering L Rep
Montana Law Review	Mont L Rev
Montana Lawyer	Mont Lawyer
Monthly Labor Review	Monthly Lab Rev
Murdoch University Electronic Journal of Law	Murdoch UEJL
NAFTA Law & Business Review of the Americas	NAFTA L & Bus Rev Am
National Banking Law Review	Nat'l Banking L Rev
National Black Law Journal	Nat'l Black LJ
National Insolvency Review	Nat'l Insolv Rev
National Institute of Justice Journal	Nat'l Inst Just J
National Journal of Constitutional Law	NJCL
National Journal of Sexual Orientation Law	Nat'l J Sex Orient L
National Law Journal	Nat'l LJ
National Law Review	Nat'l L Rev
National Real Property Law Review	Nat'l Real PLR
National Tax Journal	Nat'l Tax J
Natural Resources & Environment	Nat Resources & Env't
Natural Resources Journal	Nat Resources J
Naval Law Review	Naval L Rev
Nebraska Law Review	Neb L Rev
Neptunus: Maritime and Oceanic Law Review	Neptunus

Netherlands International Law Review	Nethl Intl L Rev
Netherlands Quarterly of Human Rights	Nethl QHR
New England International and Comparative Law Annual	New Eng J of Intl & Comp L Ann
New England Journal of International and Comparative Law (*formerly / anciennement New England International and Comparative Law Annual*)	New Eng J of Intl & Comp L
New England Journal of Medicine	New Eng J Med
New England Journal on Criminal & Civil Confinement	New Eng J Crim & Civ Confinement
New England Law Review	New Eng L Rev
New Europe Law Review	New Eur L Rev
New Jersey Lawyer	NJ Lawyer
New Law Journal	New LJ
New Mexico Law Review	NML Rev
New York City Law Review	NY City L Rev
New York International Law Review	NY Intl L Rev
New York Law Journal	NYLJ
New York Law Review	NYL Rev
New York Law School Journal of Human Rights	NYL Sch J Hum Rts
New York Law School Law Review	NYL Sch L Rev
New York State Bar Journal	NY St BJ
New York University Clinical Law Review	NYU Clin L Rev
New York University East European Constitutional Review	E Eur Const Rev
New York University Environmental Law Journal	NYU Envtl LJ
New York University International Journal of Constitutional Law	NYU Intl J Cont L
New York University Journal of International Law & Politics	NYUJ Intl L & Pol
New York University Journal of Legislation & Public Policy	NYUJ Legis & Pub Pol'y
New York University Law Review	NYUL Rev
New York University Review of Law & Social Change	NYU Rev L & Soc Change
New Zealand Law Journal	NZLJ
New Zealand Law Review	NZLR
New Zealand Universities Law Review	NZULR
Non-Profit Law Yearbook	Non-Profit L Yearbook
Non-State Actors and International Law	Non-State Actors & Intl L
Nordic Journal of International Law	Nordic J Intl L
North Carolina Central Law Review (*formerly / anciennement North Carolina Central Law Journal*)	NC Cent L Rev

North Carolina Journal of International Law & Commercial Regulation	NCJ Intl L & Com Reg
North Carolina Law Review	NCL Rev
North Dakota Law Review	NDL Rev
Northern Illinois University Law Review	N Ill UL Rev
Northern Ireland Legal Quarterly	N Ir Leg Q
Northern Kentucky Law Review	N Ky L Rev
Northwestern Journal of International Law & Business	Nw J Intl L & Bus
Northwestern University Law Review	Nw UL Rev
Notre Dame Journal of International and Comparative Law	Notre Dame J Intl & Comp L
Notre Dame Journal of Law Ethics and Public Policy	Notre Dame JL Ethics & Pub Pol'y
Notre Dame Law Review	Notre Dame L Rev
Nova Law Review	Nova L Rev
Ocean & Coastal Law Journal *(formerly / anciennement Territorial Sea Journal)*	Ocean & Coastal LJ
Ocean Development & International Law	Ocean Dev & Intl L
OECD Journal of Competition Law and Policy	OECD J Competition L & Pol'y
Ohio Northern University Law Review	Ohio NUL Rev
Ohio State Journal on Dispute Resolution	Ohio St J Disp Resol
Ohio State Law Journal	Ohio St LJ
Oklahoma City University Law Review	Okla City UL Rev
Oklahoma Law Review	Okla L Rev
Oregon Law Review	Or L Rev
Osaka University Law Review	Osaka UL Rev
Osgoode Hall Law Journal	Osgoode Hall LJ
Otago Law Review	Otago L Rev
Ottawa Law Review	Ottawa L Rev
Oxford Journal of Legal Studies	Oxford J Leg Stud
Oxford University Commonwealth Law Journal	OUCLJ
Pace Environmental Law Review	Pace Envtl L Rev
Pace International Law Review *(formerly / anciennement Pace Yearbook of International Law)*	Pace Intl L Rev Pace YB Intl L
Pace Law Review	Pace L Rev
Pacific Law Journal	Pac LJ
Pacific Rim Law and Policy Journal	Pac Rim L & Pol'y J
Panstwo i Prawo	Panstwo i Prawo

Patent Law Annual	Pat L Ann
Penn State Law Review	Penn St L Rev
Pepperdine Law Review	Pepp L Rev
Philippine Law Journal	Philippine LJ
Pittsburgh Legal Journal	Pittsburgh Leg J
Polish Contemporary Law	Polish Contemp L
Polish Yearbook of International Law	Polish YB Intl L
Potomac Law Review	Potomac L Rev
Probate and Property	Prob & Prop
Probate Law Journal	Prob LJ
Products Liability Law Journal	Prod Liab LJ
Provincial Judges Journal	Prov Judges J
Psychology, Public Policy & Law	Psychol Pub Pol'y & L
Public Contract Law Journal	Pub Cont LJ
Public Interest Law Review	Pub Int L Rev
Public Land & Resources Law Review	Pub Land & Resources L Rev
Public Land Law Review	Pub Land L Rev
Queen's Law Journal	Queen's LJ
Quinnipiac Health Law Journal	Quinnipiac Health LJ
Quinnipiac Law Review (*formerly* / *anciennement Bridgeport Law Review*)	Quinnipac L Rev
Quinnipiac Probate Law Journal (*formerly* / *anciennement Connecticut Probate Law Journal*)	Quinnipiac Prob LJ
Real Estate Law Journal	Real Est LJ
Real Property, Probate & Trust Journal	Real Prop Prob & Tr J
Recueil des Cours	Rec des Cours
Regent University Law Review	Regent UL Rev
Relations Industrielles (Industrial Relations)	RI
Responsabilité civile et assurances	Resp civ et assur
Restitution Law Review	RLR
Review of Banking and Financial Law (*formerly* / *anciennement Annual Review of Banking Law*)	Rev Banking & Fin L
Review of Central and East European Law	Rev Cent & E Eur L
Review of Constitutional Studies	Rev Const Stud
Review of European Community and International Environmental Law	RECIEL
Review of Litigation	Rev Litig

Revue administrative	Rev admin
Revue algérienne des sciences juridiques, économiques et politiques	Rev ASJEP
Revue belge de droit constitutionnel	RBDC
Revue belge de droit international	Rev b dr Intern
Revue canadienne de criminologie et de justice pénale	Rev can dr crim
Revue canadienne de droit administratif et de pratique	RCDAP
Revue canadienne de droit communautaire	Rev can dr commun
Revue canadienne de droit de commerce	Rev can dr comm
Revue canadienne du droit de la concurrence	Rev Can dr con
Revue canadienne de droit familial	Rev Can dr fam
Revue canadienne de droit international	RCDI
Revue canadienne de droit pénal	RCDP
Revue canadienne de propriété intellectuelle	RCPI
Revue canadienne des bibliothèques de droit	Rev can bibl dr
Revue canadienne des recours collectifs	Rev can recours coll
Revue canadienne droit et société	RCDS
Revue canadienne du droit d'auteur	RCDA
Revue critique	Rev crit
Revue critique de droit international privé	Rev crit dr int privé
Revue critique de jurisprudence belge	RCJB
Revue critique de législation et de jurisprudence du Canada	RCLJ
Revue d'études constitutionnelles	R études const
Revue d'études juridiques	REJ
Revue d'histoire du droit	Rev hist dr
Revue d'histoire du droit international	Rev hist dr int
Revue d'intégration européenne	RIE
Revue de droit d'Ottawa	RD Ottawa
Revue de droit de l'ULB	Rev dr ULB
Revue de droit de l'Université de Sherbrooke	RDUS
Revue de droit de l'Université du Nouveau-Brunswick	RD UN-B
Revue de droit de McGill	RD McGill
Revue de droit des affaires internationales	RDAI
Revue de droit et santé de McGill (*anciennement / formerly Publication en droit de la santé de McGill*)	RD & santé McGill
Revue de droit immobilier	RD imm

Revue de droit international de sciences diplomatiques et politiques	RDISDP
Revue de droit international et de droit comparé	Rev DI & DC
Revue de droit parlementaire et politique	RDPP
Revue de droit social	RDS
Revue de droit uniforme	Rev dr unif
Revue de jurisprudence	R de J
Revue de l'arbitrage	Rev arb
Revue de la common law en français	RCLF
Revue de la Recherche Juridique	RRJ
Revue de législation et de jurisprudence	R de L
Revue de planification fiscale et financière (*anciennement / formerly Revue de planification fiscale et successorale*)	RPFF
Revue des Juristes de l'Ontario	Rev juristes de l'Ont
Revue des sociétés	Rev sociétés
Revue du Barreau	R du B
Revue du Barreau canadien	R du B can
Revue du droit	R du D
Revue du droit de l'Union Européenne	RDUE
Revue du droit public et de la science politique en France et à l'étranger	RDP
Revue du Notariat	R du N
Revue égyptienne de droit international	Rev EDI
Revue européenne de droit privé	RED privé
Revue européenne de droit public	RED public
Revue européenne de philosophie et de droit	REPD
Revue Femmes et Droit	RFD
Revue fiscale canadienne	Rev fiscale can
Revue française de droit administratif	Rev fr dr admin
Revue française de droit aérien et spatial	Rev fr dr aérien
Revue française de droit constitutionnel	Rev fr dr constl
Revue générale de droit	RGD
Revue générale de droit international public	RGDIP
Revue générale du droit des assurances	RGDA
Revue hellénique de droit international	RHDI
Revue historique de droit français et étranger	RHD
Revue interdisciplinaire d'études juridiques	RIEJ

Revue internationale de droit comparé	RIDC
Revue internationale de droit économique	RIDE
Revue internationale de droit et politique de développement durable de McGill	RDPDD
Revue internationale de droit pénal	Rev IDP
Revue internationale de la Croix-Rouge	RICR
Revue internationale de la propriété industrielle et artistique	RIPIA
Revue internationale de politique criminelle	Rev IPC
Revue internationale de sémiotique juridique	RISJ
Revue internationale du droit d'auteur	RIDA
Revue juridique de l'environnement	RJE
Revue juridique des étudiants et étudiantes de l'Université Laval	RJEUL
Revue juridique La femme et le droit	Rev jur femme dr
Revue juridique Thémis	RJT
Revue juridique Thémis de l'Université de l'Université de Montréal (anciennement / formerly Revue juridique Thémis)	RJTUM
Revue nationale de droit constitutionnel	RNDC
Revue québécoise de droit international	RQDI
Revue suisse de droit international et de droit européen	RSDIE
Revue suisse de jurisprudence	RSJ
Revue trimestrielle de droit civil	RTD civ
Revue trimestrielle de droit commercial et de droit économique	RTDcom
Revue trimestrielle de droit européen	RTD eur
Revue universelle des droits de l'homme	RUDH
Richmond Journal of Global Law & Business	Rich J Global L & Bus
Richmond Journal of Law & Technology	Rich JL & Tech
Richmond Journal of Law and the Public Interest	Rich JL & Pub Int
Roger Williams University Law Review	Roger Williams U L Rev
Rutgers Computer & Technology Law Journal	Rutgers Computer & Tech LJ
Rutgers Journal of Law and Religion	Rutgers JL & Religion
Rutgers Law Journal (*formerly / anciennement Rutgers-Camden Law Journal*)	Rutgers LJ
Rutgers Law Review	Rutgers L Rev
Rutgers Race and the Law Review	Rutgers Race & L Rev
Rutgers-Camden Law Journal	Rutgers-Camden LJ
Saint John's Journal of Legal Commentary	St John's J Leg Comment
Saint John's Law Review	St John's L Rev

Saint Louis University Law Journal	Saint Louis ULJ
Saint Louis University Public Law Review	St Louis U Pub L Rev
Saint Louis-Warsaw Transatlantic Law Journal	St Louis-Warsaw Transatlantic LJ
Saint Mary's Law Journal	St Mary's LJ
Saint Thomas Law Review	St Thomas L Rev
San Diego Law Review	San Diego L Rev
San Joaquin Agricultural Law Review	San Joaquin Agric L Rev
Santa Clara Computer & High Technology Law Journal	Santa Clara Comp & High Tech LJ
Santa Clara Law Review	Santa Clara L Rev
Saskatchewan Bar Review	Sask Bar Rev
Saskatchewan Law Review	Sask L Rev
Scandinavian Studies in Law	Scand Stud L
Scottish Current Law Yearbook	Scot Curr LYB
Seattle University Law Review *(formerly / anciennement University of Puget Sound Law Review)*	Seattle UL Rev
Securities Regulation Law Journal	Sec Reg LJ
Seton Hall Constitutional Law Journal	Seton Hall Const LJ
Seton Hall Journal of Sports and Entertainment Law	Seton Hall J Sports & Ent L
Seton Hall Law Review	Seton Hall L Rev
Seton Hall Legislative Journal	Seton Hall Legis J
Sherbrooke Law Review	Sherbrooke L Rev
Singapore Academy of Law Annual Review	SAL Ann Rev
Singapore Academy of Law Journal	Sing Ac LJ
Singapore Journal of International and Comparative Law	Sing JICL
Singapore Journal of Legal Studies	Sing JLS
Singapore Law Review	Sing L Rev
Singapore Year Book of International Law	SYBIL
SMU Law Review	SMU L Rev
Social and Legal Studies	Soc & Leg Stud
South African Journal on Human Rights	SAJHR
South African Law Journal	SALJ
South African Yearbook of International Law	SAYBIL
South Carolina Environmental Law Journal	SC Envtl LJ
South Carolina Law Review	SCL Rev
South Dakota Law Review	SDL Rev

South Texas Law Review *(formerly / anciennement South Texas Law Journal)*	S Tex L Rev
Southern California Interdisciplinary Law Journal	S Cal Interdisciplinary LJ
Southern California Law Review	S Cal L Rev
Southern California Review of Law and Women's Studies	S Cal Rev L & Women's Stud
Southern California Sports & Entertainment Law Journal	S Cal Sports & Ent LJ
Southern Illinois University Law Journal	S Ill ULJ
Southern University Law Review	SUL Rev
Southwestern Journal of International Law *(formerly / anciennement Southwestern Journal of Law and Trade in the Americas)*	Sw J Intl L
Southwestern Law Review	Sw L Rev
Space Policy	Space Pol'y
Special Lectures of the Law Society of Upper Canada	Spec Lect LSUC
Sports Lawyers Journal	Sports Lawyer J
Stanford Environmental Law Journal	Stan Envtl LJ
Stanford Journal of Animal Law and Policy	Stan J Animal L & Pol'y
Stanford Journal of International Law	Stan J Intl L
Stanford Journal of Law, Business & Finance	Stan JL Bus & Fin
Stanford Journal of Legal Studies	Stan J Legal Stud
Stanford Law & Policy Review	Stan L & Pol'y Rev
Stanford Law Review	Stan L Rev
Stanford Technology Law Review	Stan Tech L Rev
Statute Law Review	Stat L Rev
Stetson Law Review	Stetson L Rev
Suffolk Journal of Trial and Appellate Advocacy	Suffolk J Trial & Appellate Advoc
Suffolk Transnational Law Review *(formerly / anciennement Suffolk Transnational Law Journal)*	Suffolk Transnat'l L Rev
Suffolk University Law Review	Suffolk UL Rev
Supreme Court Economic Review	Sup Ct Econ Rev
Supreme Court Law Review	SCLR
Supreme Court Review	Sup Ct Rev
Supreme Court Economic Review	Sup Ct Econ Rev
Sydney Law Review	Sydney L Rev
Syracuse Journal of International Law & Commerce	Syracuse J Intl L & Com
Syracuse Law Review	Syracuse L Rev
Syracuse University Law and Technology Journal	Syracuse UL & TJ

Tax Law Review	Tax L Rev
Telecommunications & Space Journal	Telecom & Space J
Temple Environmental Law & Technology Journal	Temp Envtl L & Tech J
Temple International & Comparative Law Journal	Temp Intl & Comp LJ
Temple Law Review *(formerly / anciennement Temple Law Quarterly)*	Temp L Rev
Temple Political & Civil Rights Law Review	Temp Pol & Civ Rts L Rev
Tennessee Law Review	Tenn L Rev
Texas Bar Journal	Tex BJ
Texas Hispanic Journal of Law and Policy *(formerly / anciennement Hispanic Law Journal)*	Tex Hispanic J L & Pol'y
Texas Intellectual Property Law Journal	Tex Intell Prop LJ
Texas International Law Journal	Tex Intl LJ
Texas Journal of Business Law	Tex J Bus L
Texas Journal of Women & the Law	Tex J Women & L
Texas Journal on Civil Liberties and Civil Rights	Tex J on CL & CR
Texas Law Review	Tex L Rev
Texas Review of Law & Politics	Tex Rev L & Pol
Texas Tech Law Review	Tex Tech L Rev
Texas Wesleyan Law Review	Tex Wesleyan L Rev
Theoretical Inquiries in Law	Theor Inq L
Third World Legal Studies	Third World Legal Stud
Thomas Jefferson Law Review	Thomas Jefferson L Rev
Thomas M Cooley Journal of Practical & Clinical Law	TM Cooley J Prac & Clinical L
Thomas M Cooley Law Review	TM Cooley L Rev
Thurgood Marshall Law Review	T Marshall L Rev
Tilburg Law Review	Tilburg L Rev
Toledo Journal of Great Lakes' Law, Science & Policy	Tol J Great Lakes' L Sci & Pol'y
Tolley's Communications Law	Tolley's Comm L
Tort Trial and Insurance Practice Law Journal (*formerly / anciennement Tort & Insurance Law Journal*)	Tort Trial & Ins Prac LJ
Touro Environmental Law Journal	Touro Envtl LJ
Touro International Law Review	Touro Intl L Rev
Touro Law Review	Touro L Rev
Trade Law Topics	Trade L Topics
Transnational Law & Contemporary Problems	Transnat'l L & Contemp Probs

Transportation Law Journal	Transp LJ
Travaux de l'Association Henri Capitant des amis de la culture juridique française	Travaux de l'assoc Henri Capitant
Tribal Law Journal	Tribal LJ
Tribune des droits humains	Trib dr hum
Trust Law International	Trust L Intl
Trusts & Estates	Trusts & Est
Tulane Environmental Law Journal	Tul Envtl LJ
Tulane European & Civil Law Forum	Tul Eur & Civ LF
Tulane Journal of International & Comparative Law	Tul J Intl & Comp L
Tulane Journal of Law and Sexuality	Tul JL & Sexuality
Tulane Law Review	Tul L Rev
Tulane Maritime Law Journal	Tul Mar LJ
Tulsa Journal of Comparative & International Law	Tulsa J Comp & Intl L
Tulsa Law Journal	Tulsa LJ
UC Davis Journal of International Law & Policy	UC Davis J Intl L & Pol'y
UC Davis Law Review	UC Davis L Rev
UCLA Asian Pacific American Law Journal	UCLA Asian Pac Am LJ
UCLA Entertainment Law Review	UCLA Ent L Rev
UCLA Journal of Environmental Law & Policy	UCLA J Envtl L & Pol'y
UCLA Journal of International Law and Foreign Affairs	UCLA J Intl L & Foreign Aff
UCLA Journal of Law and Technology	UCLA JL & T
UCLA Law Review	UCLA L Rev
UCLA Pacific Basin Law Journal	UCLA Pac Basin LJ
UCLA Women's Law Journal	UCLA Women's LJ
UMKC Law Review	UMKC L Rev
UNCTAD Law Review: Journal on Law, Trade and Development	UNCTAD L Rev
Uniform Commercial Code Law Journal	Unif Comm Code L J
Uniform Law Conference of Canada (Proceedings)	Unif L Conf Proc
Uniform Law Review	Unif L Rev
United States-Mexico Law Journal	US-Mex LJ
University of Arkansas at Little Rock Law Review	U Ark Little Rock L Rev
University of Baltimore Intellectual Property Law Journal	U Balt Intell Prop LJ
University of Baltimore Journal of Environmental Law	U Balt J Envtl L
University of Baltimore Law Forum	U Balt LF

University of Baltimore Law Review	U Balt L Rev
University of British Columbia Law Review	UBC L Rev
University of California at Davis Law Review	UC Davis L Rev
University of Chicago Law Review	U Chicago L Rev
University of Chicago Law School Roundtable	U Chicago L Sch Roundtable
University of Chicago Legal Forum	U Chicago Legal F
University of Cincinnati Law Review	U Cin L Rev
University of Colorado Law Review	U Colo L Rev
University of Dayton Law Review	U Dayton L Rev
University of Detroit Mercy Law Review	U Det Mercy L Rev
University of Florida Journal of Law & Public Policy	U Fla JL & Pub Pol'y
University of Ghana Law Journal	UGLJ
University of Hawaii Law Review	U Haw L Rev
University of Illinois Law Review	U Ill L Rev
University of Kansas Law Review	U Kan L Rev
University of Louisville Law Review (*formerly* /*anciennement Brandeis Law Journal*)	U Louisville L Rev
University of Malaya Law Review	U Mal L Rev
University of Memphis Law Review	U Mem L Rev
University of Miami Business Law Review	U Miami Bus L Rev
University of Miami Entertainment & Sports Law Review	U Miami Ent & Sports L Rev
University of Miami Inter-American Law Review	U Miami Inter-Am L Rev
University of Miami International & Comparative Law Review (*formerly* / *anciennement University of Miami Yearbook of International Law*)	U Miami Intl & Comp L Rev
University of Miami Law Review	U Miami L Rev
University of Michigan Journal of Law Reform	U Mich JL Ref
University of New Brunswick Law Journal	UNBLJ
University of New South Wales Law Journal	UNSWLJ
University of Pennsylvania Journal of Constitutional Law	U Pa J Const L
University of Pennsylvania Journal of International Law (*formerly* / *anciennement **University of Pennsylvania Journal of International Economic Law***)	U Pa J Intl L
University of Pennsylvania Journal of Labor and Employment Law	U Pa J Lab & Employment L
University of Pennsylvania Law Review	U Pa L Rev
University of Pittsburgh Law Review	U Pitt L Rev
University of Queensland Law Jounal	UQLJ

University of Richmond Law Review	U Rich L Rev
University of San Francisco Journal of Law and Social Challenges	USF JL & Soc Challenges
University of San Francisco Law Review	USF L Rev
University of San Francisco Maritime Law Journal	USF Mar LJ
University of Tasmania Law Review	U Tasm L Rev
University of the District of Columbia Law Review *(formerly / anciennement District of Columbia Law Review)*	UDC L Rev
University of Toledo Law Review	U Tol L Rev
University of Toronto Faculty of Law Review	UT Fac L Rev
University of Toronto Law Journal	UTLJ
University of Western Australia Law Review	UWA L Rev
University of Western Ontario Law Review	UWO L Rev
Upper Canada Law Journal	UCLJ
Utah Bar Journal	Utah BJ
Valparaiso University Law Review	Val U L Rev
Vanderbilt Journal of Entertainment Law & Practice	Vand J Ent L & Prac
Vanderbilt Journal of Transnational Law	Vand J Transnat'l L
Vanderbilt Law Review	Vand L Rev
Vermont Bar Journal	Vt BJ
Vermont Journal of Environmental Law *(formerly / anciennement Res Communes: Vermont's Journal of the Environment)*	VJEL
Victoria University of Wellington Law Review	VUWLR
Vietnam Law & Legal Forum	Vietnam L & Legal Forum
Villanova Environmental Law Journal	Vill Envtl LJ
Villanova Law Review	Vill L Rev
Villanova Sports and Entertainment Law Journal	Vill Sports & Ent LJ
Virginia Environmental Law Journal	Va Envtl LJ
Virginia Journal of International Law	Va J Intl L
Virginia Journal of Law & Technology	Va JL & Tech
Virginia Journal of Social Policy & Law	Va J Soc Pol'y & L
Virginia Journal of Sports and the Law	Va J Sports & L
Virginia Law Review	Va L Rev
Virginia Tax Review	Va Tax Rev
Waikato Law Review: Taumauri	Waikato L Rev
Wake Forest Law Review	Wake Forest L Rev

Waseda Bulletin of Comparative Law	Waseda Bull Comp L
Washburn Law Journal	Washburn LJ
Washington & Lee Law Review	Wash & Lee L Rev
Washington & Lee Race & Ethnic Ancestry Law Journal *(formerly / anciennement Race & Ethnic Ancestry Law Journal)*	Wash & Lee Race & Ethnic Ancestry LJ
Washington Law Review	Wash L Rev
Washington University Journal of Law & Policy	Wash UJL & Pol'y
Washington University Journal of Urban and Contemporary Law	Wash UJ Urb & Contemp L
Washington University Law Quarterly	Wash ULQ
Wayne Law Review	Wayne L Rev
Web Journal of Current Legal Issues	Web JCLI
West Virginia Journal of Law & Technology	W Va J L & T
West Virginia Law Review	W Va L Rev
West Virginia Lawyer	W Va Law
Western Law Review (Canada)	West LR
Western Law Review (San Francisco)	West L Rev
Western New England Law Review	W New Eng L Rev
Western Ontario Law Review	West Ont L Rev
Western State University Law Review	W St U L Rev
Widener Journal of Public Law	Widener J Pub L
Widener Law Symposium Journal	Widener L Symp J
Willamette Journal of International Law & Dispute Resolution	Willamette J Intl & Disp Resol
Willamette Law Review	Willamette L Rev
William & Mary Bill of Rights Journal	Wm & Mary Bill Rts J
William & Mary Environmental Law & Policy Review	Wm & Mary Envtl L & Pol'y Rev
William & Mary Journal of Women and the Law	Wm & Mary J Women & L
William & Mary Law Review	Wm & Mary L Rev
William Mitchell Law Review	Wm Mitchell L Rev
Windsor Review of Legal and Social Issues	Windsor Rev Legal Soc Issues
Windsor Yearbook of Access to Justice	Windsor YB Access Just
Wisconsin Environmental Law Journal	Wis Envtl LJ
Wisconsin International Law Journal	Wis Intl LJ
Wisconsin Law Review	Wis L Rev
Wisconsin Women's Law Journal	Wis Women's LJ
Women's Rights Law Reporter	Women's Rts L Rep

World Arbitration and Mediation Report	World Arb & Mediation Rep
World Arbitration and Mediation Review *(formerly / anciennement World Arbitration and Mediation Report)*	World Arb & Mediation Rev
World Trade and Arbitration Materials	WTAM
Wyoming Law Review *(formerly / anciennement Land and Water Law Review)*	Wyo L Rev
Yale Human Rights and Development Law Journal	Yale Human Rts & Dev LJ
Yale Journal of International Law	Yale J Intl L
Yale Journal of Law & Feminism	Yale JL & Feminism
Yale Journal of Law & the Humanities	Yale JL & Human
Yale Journal on Regulation	Yale J Reg
Yale Law & Policy Review	Yale L & Pol'y Rev
Yale Law Journal	Yale LJ
Yearbook: Commercial Arbitration	YB Comm Arb
Yearbook of Air and Space Law	YB Air & Sp L
Yearbook of Copyright and Media Law	YB Copyright & Media L
Yearbook of European Environment Law	YB Eur Env L
Yearbook of European Law	YB Eur L
Yearbook of International Environmental Law	YB Intl Env L
Yearbook of International Humanitarian Law	YB Intl Human L
Yearbook of International Law	YB Intl L
Yearbook of Maritime Law	YB Marit L
Yearbook of the Canadian Bar Association	YB CBA
Yearbook of the European Convention on Human Rights	YB Eur Conv HR
Yearbook of the Institute of International Law	YB Inst Intl L
Yearbook of the International Court of Justice	YBICJ
Yearbook of the United Nations	YBUN
Yearbook on Human Rights	YBHR

APPENDIX E / ANNEXE E

E. ONLINE DATABASES ~ BASES DE DONNÉES EN LIGNE

Abreviations ~ Abréviations

Australasian Legal Information Institute	AustLII
Azimut	Azimut
British and Irish Legal Information Institute	BAILII
Butterworths Services	Butterworths
Canadian Legal Information Institute / Institut canadien d'information juridique	CanLII
Commonwealth Legal Information Institute	CommonLII
Hong Kong Legal Information Institute	HKLII
Inforoute Notariale	Inforoute
Justis	Justis
KluwerArbitration	Kluwer
La Référence	Référence
Lawnet (Singapore)	Lawnet
Legal Information Institute	LII
Legifrance	Legifrance
LexisNexis	Lexis
LexUM	LexUM
New Zealand Legal Information Institute	NZLII
Pacific Islands Legal Information Institute	PacLII
Qualisult Systems	Qualisult
LexisNexis Quicklaw	QL
Répertoire électronique de jurisprudence du Barreau	REJB
Société québécoise d'information juridique	SOQUIJ
Southern African Legal Information Institute	SAFLII

Appendices / Annexes

Taxnet Pro	Taxnet Pro
Westlaw (US)	WL
Westlaw International	WL Int
Westlaw (UK)	WL UK
WestlawNext Canada	WL Can
World Legal Information Institute	WorldLII